D1107528

地下室手记

〔俄〕陀思妥耶夫斯基 著

曾思艺 译

浙江文艺出版社
Zhejiang Literature & Art Publishing House

Записки из подполья

Фёдор Михайлович Достоевский

果麦文化出品

目录

1   第一章　地下室

57   第二章　湿雪纷飞

185   译后记

第一章　地下室¹

1　无论是《手记》的作者，还是《手记》本身，当然，都出于虚构。然而，如果考虑到我们的社会普遍地赖以形成的那些环境，那么，像《手记》的作者那样的人物，在我们的社会里不但可能存在，而且甚至是一种必然存在。我试图较往常更清晰地向读者介绍一个不久以前那个时代的典型人物。他是至今还活着的一代人的一个代表。在这个以《地下室》为题的片段里，这一人物介绍了他本人和他的观点，并且似乎试图说明他之所以出现和必然会出现在我们中间的原因。下一个片段，才是这一人物记述其生平若干事件的真正《手记》。——费奥多尔·陀思妥耶夫斯基

一

　　我是个病人……我是个凶狠的人。我是个不招人喜欢的人。我认为，我的肝脏有病。然而，我一点儿也不了解我的病情，甚至大概都搞不清我到底得了什么病。我不去看病，也从来没去看过病，尽管我尊重医学和医生。何况，我还极其迷信。唔，即便如此，我仍旧尊重医学（我受过良好的教育，让我不至于迷信，但我还是迷信）。不，我是因为赌气而不去看病的。对此，你们大概是很难理解的。唔，可我却心知肚明。当然啰，我无法向你们解释清楚，我在这种情况下是和谁在赌气。我也十分明白，我不去医生那里看病，决不会使他们受损害。我比任何人都清楚，我所做的这一切只会损害自己一个人，而不会伤及任何人。然而，尽管如此，如果说我没去看病，那还是因为我在赌气。肝脏疼痛，那就让它疼得更厉害些吧！

　　我很早就这样生活——已有二十来年了。而今我四十岁了。我以前担任过公职，可现在不再工作了。我曾是一位凶狠的小官吏。我粗暴无礼，并以此为乐。我可是不收受贿赂的，因此，就凭这一点我也应该犒赏自己。（一句蹩脚的俏皮话，然而我不想删掉它。我把它写出来，是认为它一定十分俏皮。可现在我自己也看得出来，这只不过是想卑劣地显摆一下自己——可我就是故意不把它删掉！）当有人走到我的办公桌前，请我办证时——我往往对他们切齿痛恨，而当我发现有人因此伤心痛苦时，我就觉得这是一种莫大的乐趣。我几乎每次都能成功。这些人大多是畏畏缩缩的老百姓：不言而喻嘛——他们求我办事啊。不过，也有一些妄自尊大的家伙，我特别讨厌其中的一位军官。他怎么也不肯俯首帖耳，还极其可恶地把马刀弄得铿锵作响。为了这把马刀，我和他整整较量了一年半。我终于压服了他。他不再弄响他的马刀了。不过，这是发生在我青年时代的事情。然而，先生们，你们可知道我凶狠的关键之处是什么吗？这可就是整个问题的症结所在了，而且最恶心的地方在于，我在任何时候，甚至在怒不可遏的时候，都会可耻地意识到，我不仅不凶狠，而且甚至还是一个无法凶狠起来的人，我只不过是枉自吓唬吓唬麻雀，聊以自慰而已。我怒火中烧，满口白沫，然而，你们只要给我塞上一个什么洋娃娃，送上一杯糖茶，我也许就会心平气和。甚至会心软下来，虽然事后我一定会对自己切齿痛恨，并且羞愧得好几个月都睡不着觉。我也就是这么个脾气。

　　我刚才说自己是个凶狠的小官吏，我这是撒谎。因为赌气而撒谎。我只不过是在跟求我办事的人和那位军官闹着玩，事实上我永远也不会变成凶狠的人。我时时刻刻都意识到，自己身上有许许多多与凶狠截然相反的成分。我感觉到，这些相反的成分竟在我的心底蠢蠢欲动。我知道，它们终生都会在我的心里胡冲乱挤，企图冲到我体外，可我不放它们，就是不放，偏偏不让它们出来。它们把我折磨得羞愧不堪，搞得我浑身痉挛——终于使我不胜其烦，深恶痛绝！先生们，你们是否觉得，我现在似乎是在向你们忏悔什么，向你们请求宽恕什么吧？……我确信，你们是这样想的……不过，我得告诉你们，即使你们这样认为，我也无所谓……

我不仅不会成为凶狠的人，甚至也不会成为任何一种人：既成不了凶狠之徒，也成不了善良之辈；既成不了流氓无赖，也成不了正人君子；既成不了英雄，也成不了虫豸。而今，我就在自己的角落里苟度残年，用恶毒而又毫无用处的安慰来自我解嘲：聪明人是不能一本正经地干出什么大事来的，只有傻瓜才能有所成就。是的，19 世纪的聪明人大多数应该是而且在精神上必须是毫无个性的人，而个性鲜明的人、活动家——大多是碌碌无能之辈。这是我四十年来形成的信念。我如今四十岁，可要知道，四十岁——这是整整一生啊；要知道，这已是风烛残年了。过了四十岁，再活下去，那可就有失观瞻、俗不可耐、恬不知耻了！谁能活过四十岁？——请你们真真切切、老老实实地回答！我来告诉你们，谁能活过四十岁吧：傻瓜和坏蛋。我要把这话当面告诉所有的老人，告诉所有那些德高望重的老人，所有那些满头银发、香气扑鼻的老人！我要当面把这话向全世界宣告！我有权这样说，因为我自己将会活到六十岁！还将活到七十岁！一直活到八十岁！……请等一会儿！让我喘口气……

先生们，你们大概认为我是在试图逗你们发笑吧？你们这样想又错了。我绝非你们认为或你们可能认为的那样，是一个非常快活的人。不过，如果你们已经被所有这些废话惹恼了（而我已经感觉到你们被惹恼了），想要追问我：我究竟是什么人？——那么，我就回答你们：我是个八等文官。我供职是为了混口饭吃（但也仅仅为了这个目的），因此去年当我的一位远房亲戚立下遗嘱留给我六千卢布时，我就立刻辞职，蛰居在自己的小角落里。我以前也住在这个角落里，但如今却是定居这个角落了。我的房间糟透了，环境恶劣，位于城市边缘。我的女仆是个乡下娘儿们，年纪老大，由于愚蠢而凶狠，并且身上总是发出一种难闻的气味。有人对我说，彼得堡的气候正在变得对我有害，而且靠我那点屈指可数的钱财在彼得堡生活可谓居大不易。这一切我都心中有数，比所有这些经验丰富、绝顶聪明的出谋划策者和点头之交都更心中有数。然而，我就是要留在彼得堡：我决不离开彼得堡！我之所以不离开……唉！就连我离开或是不离开——这也完全是无所谓的。

然而，一个正派人最津津乐道的会是什么呢？

答案是：谈自己。

好吧，那就让我也来谈谈自己吧。

/ 二 /

先生们，不管你们愿意听还是不愿意听，我现在都要对你们说说，为什么我甚至连虫豸都做不成。我要郑重其事地告诉你们，我曾有许多次想要变成虫豸。然而，就连这一点也无法做到。先生们，我向你们发誓，意识太过丰富——这是一种病，一种千真万确、不折不扣的病。单就人的日常生活而言，只需具备普通人的意识就绰有余裕了，也就是说，只需具备我们这个不幸的 19 世纪中一个贤达之士意识的二分之一或四分之一就绰有余裕了，此外，尤为不幸的是这位贤达之士还住在彼得堡这样一个在这个地球上最最远离现实、最为蓄意建成的城市[1]（城市也有蓄意建成的和非蓄意建成的之分）里。比如说，只需具备所有那些率直的实干家和活动家赖以生活的那点意识，就完全足够了。我敢打赌，你们一定以为，我写下这些，是出于傲慢，为的是讽刺那些活动家，而且出于卑劣的傲慢，我就像我说到的那位军官一样，把马刀弄得铿锵作响。然而，先生们，谁竟会拿自己的病到处炫耀，并借此自吹自擂呢？

---

1 陀思妥耶夫斯基成为"根基派"后，反对彼得大帝的改革，认为他所建造的彼得堡是完全西化、脱离俄国现实的，是他为了让俄国更好地西化而蓄意建造起来的。

不过，我这是怎么啦？——所有人都在这样做，而且也都拿自己的病来炫耀，而我，似乎远远胜过了所有人。我不愿争论。我的反驳荒诞无稽。但我始终深信，不仅过多的意识是一种病，甚至任何意识都是一种病。我对此坚信不疑。这一点我们暂时放下不谈。请你们给我谈谈这样一个问题：为什么往往会出现这样一种情形，就在我最能意识到，是的，恰恰就在我最能意识到我们一度常说的"一切美与崇高"[1]的所有精妙之处的时候，好像故意似的，我却偏偏意识不到，反倒做出那样一些丑陋的事情，那些……是的，简而言之，就是那些也许所有人都在做，然而仿佛故意似的，偏偏在我最清楚地意识到完全不该去做的时候却恰恰做了的事情？我越是深切地意识到善和所有这一切"美与崇高"，我就陷入我的泥潭越深，直至承受灭顶之灾。可是，主要的问题却在于，这一切似乎并非偶然出现在我身上，反倒像是理所当然。仿佛这倒成了我最正常的状态，而绝非疾病，也并非中了邪，因此，我终于丧失了与这一邪魔作斗争的愿望。最后，我几乎相信（也许真的相信了），这大概就是我的正常状态。可在

---

1 "美与崇高"这一概念出自 18 世纪爱尔兰埃德蒙·伯克（1729—1797）的《关于我们崇高与美观念之根源的哲学探讨》（1757）、德国康德（1724—1804）的《论优美感和崇高感》（1763）等美学论文。19 世纪 30—40 年代，这一概念在俄国颇为流行；1840—1860 年间，对亚·瓦·德鲁日宁（1824—1864）等人的"纯艺术"美学产生争论后，这一概念有时便带有某种讽刺意味。

当初，开始的时候，我在这场斗争中熬受过多少痛苦啊！我不相信，别人也会有这样的境遇，因此终生把它当作秘密隐藏于心底。我曾深感羞愧（也许即便现在也还深感羞愧）。我羞愧到如此程度，竟然会感到某种隐秘的、反常的、有点卑劣的享受[1]，这种享受就是，在某个最最恶劣的彼得堡之夜，我回到自己的小角落里，马上强烈地意识到，就在今天又干了一件卑鄙的事情，而已经做过的事情无论如何也无法挽回，因此就在内心深处暗自咬牙切齿地不断责备自己，翻来覆去地指摘自己，慢慢腾腾地折磨自己，以致那痛苦终于变成某种可耻的、令人诅咒的快感，而且——最终变成一种千真万确、货真价实的享受！对，变成了享受，变成了享受！我坚信这一点。我之所以说出来，是因为我一直试图确切地知道：别人是否也常有这样的享受？我给你们解释一下：这种享受，正是源于对自己的屈辱有过于清楚的意识；正是源于你自己已经感觉到你已身处绝境。这当然糟糕透顶，但除此而外别无他途。你已经无路可走，你已经永远无法变成另一种人了。

1　此词的俄文原文是 наслаждение，一般译为"乐趣"或"快感"，此处根据俄国哲学研究专家徐凤林教授的意见译为"享受"。他在《痛苦如何变成享受？——试论地下室人的意识学说》一文中指出："我认为在此译为'享受'更恰当。不同在于，首先，'乐趣'似乎更强调人喜欢某种外部对象，此某种对象能使人感到快乐；而'享受'则是指物质上或精神上的满足，是一种内在的满足；其次，'乐趣'只做名词使用，'享受'则是动名词，可以表示感受满足的过程。"详见张变革主编《当代中国学者论陀思妥耶夫斯基》，北京大学出版社 2012 年版，第172 页注释 1。

而且，即使还有时间和信心能够变成另一种什么人，那你自己大约也不想变了。而且，即便想变，大概也会一事无成了，因为实际上也许已经没有什么可变的了。归根结底，主要的一点是所有这一切都是按照强烈的意识所具有的正常而基本的规律而产生的，以及直接源于这些规律的惯性而发生的，因此，这里不仅无可改变，而且简直让人束手无策。因此，比如说，强烈的意识的结果就是：是的，一个无耻之徒，当他感觉到自己的的确确是个无耻之徒时，这对他来说似乎倒是一种安慰。然而，够了……唉，胡扯海侃了这么一大通，可又说清了什么呢？……能用什么来说清这种享受呢？但我偏要说清！我非要追根究底！我正是为此才拿起笔来……

比方说，我这人极其自尊。我像个驼背和矮子一样疑神疑鬼、鼠肚鸡肠，不过，说实话，我也常有这样的时刻，如果有人扇了我一记耳光，那我也许甚至会为此感到高兴。我是实话实说：大概我能从中获得某种享受，当然是一种绝望的享受，然而就在绝望之中却往往有刻骨铭心的享受，特别是当你十分强烈地意识到你已经山穷水尽、毫无出路的时候。可就在这时挨了一记耳光——于是你立刻痛苦地意识到，你已被碾压成了某种软膏。而且，主要的是，不管我怎样反复琢磨，结果依旧是在所有方面我都是罪魁祸首，而最为屈辱的是，我总是一个无辜的罪人，可以说，这是由于自然的规律。我之所以有罪，首先是因为在我周围的所有人中我的才智出类拔萃。(我始终认为在我周围的所有人中我的才智出类拔萃，而且有时候，你们信不信，我甚至为此感到惭愧。至少我一辈子都目光旁视，从来不敢正眼看人。)最后，我之所以有罪，是因为如果我豁达大度的话，那也只是由于我意识到这种豁达大度毫无用处，因而使我倍加痛苦。要知道，我如果豁达大度，肯定会什么事都做不成：我既不能宽恕别人，因为欺辱者也许是遵循自然规律打我的，而自然规律是无法去宽恕的；也不能忘却，因为即便是自然规律，也终究是令人感到屈辱的。最后，即便我想完全彻底不豁达大度，而是相反，试图报复欺辱者，那我也无法在任何方面对任何人进行报复，因为即使能够这样做，我也肯定狠不下心来去采取什么行动。为什么狠不下心来呢? 关于这点，我想特别说上几句。

/ 三 /

要知道，那些能够为自己实施报复的人，以及那些一般来说能够保护自己的人，——比方说，他们是怎样做到这点的呢？我们假设，报复的情绪一旦掌控了他们，那时他们身上除了这种感情以外，就再也没有别的什么了。这类先生便会像狂怒的公牛一般低下犄角，朝着目标直冲过去，除非前面有堵墙把他挡住。(顺便说说：在墙面前，这类先生，也就是那些率直的实干家和活动家，是会真心诚意地低头服输的。对他们来说，墙并非一种借口，这比方说，就跟我们这类思前想后因而一无所成的人大不一样。墙并非走回头路的借口，并非像我们这类通常连自己都不相信，但又总是极其乐于去找的那种借口。不，他们是真心诚意地低头服输的。对他们来说，墙具有某种让人心安理得、精神超脱、至矣尽矣，也许甚至是神秘莫测的东西……不过，关于墙我们以后再谈。)好吧，我且把这种率直的实干家当作真正的、正常的人，大自然这位温柔的母亲满怀爱意地把他降生到大地上，就是希望看到他成为这样的人。对于这种人，我羡慕极了。他是愚蠢的，对此我不想和你们争论，不过，一个正常人也许就应该是愚蠢的，你们怎么知道呢？也许，这甚至还妙不可言呢。而且我尤其深信这种可以说值得怀疑的东西，因为比方说，假如以一个正常人的对立面为例，这种人具有强烈的意识，当然，他并非来自大自然的怀抱，而是产自曲颈瓶（这已近乎神秘主义了，先生们，不过我也对此心存疑虑），那么这个产自曲颈瓶的人有时也会在其对立面的面前低头服输，尽管他带着自己全部的强烈意识，也会心甘情愿地承认自己是一只老鼠而不是一个人。尽管他是一只具有强烈意识的老鼠，可毕竟只是一只老鼠，而其对立面却是人，因而……如此等等。何况，主要的是，他自己，正是他自己承认自己是一只老鼠，任何人都没有要求他这样做，而这是问题的最为关键之处。现在，我们就来看看这只老鼠的行为吧。比方说，我们假定，它也受到了欺辱（而它几乎总是遭受欺辱），并且也想进行报复。它心里蓄积起来的怨恨，也许比 l'homme de nature et de la vérité [1] 还要多。想要对欺辱它的人以恶报恶的那种龌龊而又卑劣的愿望，也许比在 l'homme de nature et de la vérité 心中更为剧烈地抓心挠肺，因为 l'homme de nature et de la vérité 天生愚蠢，认为自己的报复是彻头彻尾的正义行为。而老鼠却由于强烈的意识，否认这种正义。最后，它终于采取了行动，实施了报复。这只倒霉的老鼠，除了原初的龌龊外，又在它的周围蓄积了一大堆以问题和怀疑为形式的

---

1 法文，意为"自然的和真实的人"，这是 18 世纪法国启蒙思想家、文学家卢梭（1712—1778）最早提出的概念。

其他种种龌龊；从一个问题又生发出许许多多没有解决的问题，于是在它周围便自然而然地集聚起某种致命的污泥浊水、某种腐烂发臭的垃圾，其中包括它的疑虑和激动，乃至率直的活动家们接二连三地大口吐向它的唾沫，他们煞有其事地站在四周，以法官和专制者自居，亮开嗓门，朝它哈哈大笑。当然，面对这一切，老鼠只能挥挥自己的爪子，并且面带连它自己也不相信的、故作蔑视的微笑，羞愧地溜进自己的洞穴里。在那里，在自己那脏兮兮、臭烘烘的地下室里，我们这只惨遭欺辱、饱尝毒打、屡受讥笑的老鼠，立刻沉入一种冷酷、恶毒，而主要是无尽无休的仇恨之中。它将连续四十年牢记自己的屈辱，对每一个细节都一一细细品味，直到最后一个它深感奇耻大辱的细节，并且，每次都要自己添加一些更加耻辱到极点的细节，用自己的想象来恶毒地嘲弄和激怒自己。它将为自己的杜撰而感到羞愧，但它依旧会牢记这一切，细细清点这一切，为自己臆造出许许多多子虚乌有的事情，还借口说这些事情都是有可能发生的，因此它什么都不宽恕。看来，它即将展开报复了，但却总是断断续续、七零八碎、偷偷摸摸、躲躲闪闪，既不相信自己的报复师出有名，也不相信报复会获得成功，而且它事先就知道，自己谋求报复的所有企图给自己带来的痛苦将比那受报复的人大一百倍，而那个被他报复的人也许还根本没当回事。在行将就木之际，它又会重新记起这一切，以及在整个这段时间里日积月累的新的内容……然而，就在这冷酷、丑恶的半绝望半信仰中，就在这因为痛苦悲愤而故意把自己活活埋在地下室的整整四十年里，就在这刻意营造但仍旧多少有点可疑的绝境中，就在所有这些深入内心却无法满足的欲望的毒液里，就在所有这些先是举棋不定，继之作出了板上钉钉的决定，但在一分钟后又追悔莫及的冷热病中——就是在这里，蕴含着我所说的那种奇异享受的精华。这种享受是如此微妙，有时竟不为意识所感知，以致那些愚眉肉眼之辈，甚至那些神经坚强之人，都对它没有丝毫感知。"也许，那些从来不曾挨过耳光的人，也对此没有什么感知。"你们一定会咧嘴笑着在心里补充道。你们是在用这种方法彬彬有礼地向我暗示，我这一辈子中可能也挨过耳光，因此说起话来才如此熟知个中奥秘。我敢打赌，你们就是这样想的。然而，先生们，请大放宽心，我没有挨过耳光，虽然你们对此不管怎么想，我都根本无所谓。也许我自己还觉得有点遗憾，我这一辈子很少扇别人耳光。不过，够了，对于这个你们兴致盎然的话题，我一句话也不想多说了。

我现在继续心平气和地谈谈那些神经坚强、不懂得享受的微妙之处的人们。比方说，在某种特殊情况下，这些先生们虽然也会像公牛一般敞开嗓门大喊大叫，暂且假定这很可能会给他们带来最高的荣誉，然而正如我已经说过的那样，一旦面对不可能性，他们立即就会低头服输。不可能性——不就意味着一堵石墙吗？什么样的石墙呢？唔，那当然是自然规律，是自然科学的结论，是数学。比方说，有人向你证明，你是从猴子进化而来的[1]，那你也无须皱眉头，一股脑儿接受就行了。还有人向你证明，实际上，你自己身上的一滴油脂应该比与你同样的十万个人还要珍贵，而一切所谓美德和义务以及其他种种谬论和偏见，最终都将因此迎刃而解，那你也就一股脑儿接受吧，这是没法子的事啊，因为二二得四，这是数学。你们就试着来反驳吧。

"对不起，"有人会对你们大喊大叫，"这是无可反驳的：这是二二得四啊！大自然可不会征询你们的意见。她根本不理会你们的愿望，也不理会你们是否喜欢她的规律。你们却必须按她的本来面目一股脑儿接受，进而也必须接受她的一切结果。墙，也就只是墙……如此等等。"我主上帝啊，当我由于某种原因并不喜欢这些规律和二二得四的时候，这些自然规律和算术跟我又有什么关系呢？当然，假如我没有力量打破这堵墙，那我就不会试图用脑袋去撞穿它，但我也不会

1　查尔斯·罗伯特·达尔文（1809—1882）的《物种起源》（1859）一书的俄译本1864年在俄国出版后，当时俄国的报刊围绕人的起源问题展开过热烈的讨论。陀思妥耶夫斯基此处故意加以庸俗化，表明其不赞同这种唯物主义观点。

仅仅因为面前有一堵石墙因我力量不够而善罢甘休。

　　这样的一堵石墙似乎还确实有一种安心宁神的作用，它本身也确实至少包含着某种安宁和平之意，这仅仅是因为，它就是二二得四。哦，这真是荒谬至极！最好的是，理解这一切，认识这一切，弄清这一切不可能性和这一切石墙。如果你们厌恶妥协，那么就要对任何一种不可能性和任何一堵石墙毫不妥协。通过最必然的逻辑组合推断出关于永恒主题的一个最令人厌恶的结论，那便是甚至连那堵石墙的存在也仿佛是你自己的过错，尽管一清二楚地明摆着你毫无过错。因此你只能闭口不言，无可奈何地咬牙切齿，心灰意懒，呆若木鸡，幻想着即便大发雷霆也好，结果却没有可供你发作的人，甚至连对象都找不到，而且也许永远都找不到，因为这是偷天换日、颠倒是非、招摇撞骗，这简直乱成了一锅粥——不知道哪里是物，也不知道哪里是人，然而，尽管混沌一团，尽管是非颠倒，你们仍然会感到痛苦，你们越是一无所知，你们就越是痛苦！

/ 四 /

"哈，哈，哈！依此来看，那您从牙疼里也能找到享受啰！"你们一定会大笑着喊道。

"那又怎么样？就在牙疼中也有享受嘛，"我将回答道，"我曾牙疼了整整一个月。我知道，这里面确实有享受。那时候，当然，不是默默无语地生闷气，而是在呻吟。不过，这并非毫无顾忌的呻吟，而是包藏祸心的呻吟，而这包藏祸心正是整个关键所在。患者的享受就表现在声声呻吟中，假如他没有在这呻吟中得到享受，他也就不会呻吟了。"这是一个很好的例子，先生们，请听我对此进一步发挥。这呻吟首先表明，对于我们的意识来说，你们的牙疼是有损尊严、毫无目的的。这是整个自然规律，你们当然对此嗤之以鼻，但你们还是得饱受其苦，而它却安然无恙。这呻吟还表明一种意识，你们找不到敌人，而疼痛却是货真价实的。你们也意识到，你们，连同你们那形形色色的瓦根海姆[1]在内，彻头彻尾是你们牙齿的奴隶。只要有人愿意，你们的牙齿就会病去痛消，可要是不愿意，那它就还得再疼上三个月。最后，如果你们依旧不同意而且还试图反抗的话，那么，你们就只能

1　瓦根海姆是牙医的姓氏，1864 年，彼得堡共有 8 个姓瓦根海姆的牙医在报纸上登广告。

狠抽自己一顿，或者用拳头痛击你们的那堵墙，以此自慰，除此而外就别无他法了。唔，正是由于这类血腥的欺辱，由于这类不知来自何人的嘲笑，你们终于开始得到了享受，有时这种享受竟然达到近似飘飘欲仙的性高潮的程度。先生们，我请求你们什么时候抽空仔细听听19世纪富有教养、患有牙疼的人的呻吟，这是他牙疼的第二或第三天了，此时他已经不像第一天那样呻吟了，也就是说不单单因为牙疼而呻吟了，不是像一个粗鲁的庄稼汉那样呻吟了，而是像一个受到进步和欧洲文明影响的人，像一个按目前流行的说法"脱离了根基和民族本原"[1]的人那样呻吟。他的呻吟渐渐变得卑劣、恶毒，而且整日整夜，没完没了。他自己也知道，这样呻吟决不会给他带来任何好处；他比任何人都更清楚地知道，

---

1 这是陀思妥耶夫斯基"根基派"观点的鲜明体现。"根基派"一译"根基主义""土壤派"，是19世纪50年代在俄国形成的一个文学批评流派和一种文化思潮，代表人物为陀思妥耶夫斯基、格里戈里耶夫（1822—1864）、斯特拉霍夫（1828—1896），对俄罗斯命运的关怀和对俄罗斯民族精神的信念把他们结合起来，他们以陀氏兄弟创办的大型文学政治杂志《当代》（一译《时代》，1860—1863）和《时代》（一译《世纪》，1864—1865）为中心和阵地，既反对革命民主主义者的唯物主义美学，又反对"纯艺术派"的唯美主义理论，而认为俄国社会的动荡不安和道德信念的沦丧在于俄国有教养的知识阶层长期脱离人民这一根基，出路在于知识分子必须与人民结合，吸取俄罗斯民族性格的根本因素——虔诚的基督教博爱精神和忠君思想，这样才能使俄国社会各阶层克服内部的矛盾冲突和信仰危机，重振俄国的经济与文化，甚至为陷于道德精神危机的西欧社会指明新的出路。他们认为，真正的艺术体现的是人和人类思想，即基督精神，它永远能促进社会的道德进步和个人的道德完善，永远是人民的和民主的艺术，而普希金是俄罗斯精神和俄罗斯民族性格的最完美的体现者，他的艺术天才无可争议地表现了俄罗斯精神对于全人类兄弟般团结的追求。

他只是在枉自折磨和激怒自己和别人；他知道，就连他拼命地对之呻吟的人们以及他的整个家庭，都已经听到他的呻吟就深感厌恶了，已经丝毫也不相信他了，他们心里都明白，他完全可以换一种方式来呻吟，呻吟得简单些，无须装腔作势，无须怪腔怪调，认为他这样做不过是满怀恨意，蓄意妄为。唔，就在所有这些意识和屈辱中，包含着性高潮般的快感。他说："我惊扰了你们，伤了你们的心，让全家人无法入眠。那么，你们就别睡了，你们也得每分每秒都感觉到我在牙疼。对你们来说，我而今已经不是我从前想要扮演的英雄了，而只是一个卑鄙之徒，一个流氓无赖。唔，那就这样吧！你们终于认清了我，我真是乐不可支。你们听到我那有点下流的呻吟声深感厌恶吗？唔，那就深感厌恶吧。我马上还要给你们哼出更下流的怪腔怪调来……"现在你们还不明白吗，先生们？不，看来，要懂得这一性高潮般的快感，必须具有发达的智力和深刻的意识。你们在笑？我欢天喜地。先生们，我的笑话当然说得十分拙劣，语无伦次，前后矛盾，自己都不相信自己。然而，要知道，这是因为我自己都不尊重自己。难道一个意识清楚的人能够多多少少尊重自己吗？

　　试问，一个甚至试图在自己的屈辱感中寻找享受的人，难道会、难道会多多少少尊重自己吗？我现在这样说倒也并非出于某种令人作呕的忏悔。何况，一般说来，我最讨厌说什么："请原谅，神父，我以后再不这样了。"——倒并非因为我不会说这类话，恰恰相反，也许正因为我太善于这样说了，而且还说得天花乱坠呢！有时，我明明没有丝毫过错，却偏偏在这种情况下，我仿佛被故意推入霉运。这是糟糕透顶的事情。可是，我还得深受感动，满怀悔恨，热泪淋淋，还要自己欺骗自己，虽然完全不是假装。此时此刻心灵都被玷污了……在此情况下，甚至连自然规律也不能去怪罪了，尽管自然规律仍一直在接连不断地欺侮我，而且是我这一生中欺侮我最厉害的。回想起这一切真感到龌龊，而且当时原本就很龌龊。要知道，才过了那么一分钟，我便常常怒恨恨地意识到，所有这一切都是谎言，谎言，丑恶不堪、装腔作势的谎言，也就是说，所有这些忏悔、所有这些感动、所有这些悔过自新的誓言，都是谎言。可你们会问我，我这样糟蹋自己和折磨自己，究竟是为了什么？回答是：因为无所事事地枯坐，深感无聊至极，所以就装腔作势一番。对，确实是这样。请你们好好关注一下自己，先生们，那你们就会明白，确实是这样。我曾经自己给自己臆想出一整套奇异的经历，并编造出一整套生活，以便有个什么由头凑合着活下去。我曾经有好多次——唔，比方说，深感委屈，就这样无缘无故、煞有其事地；可要知道，你自己也明白，有时候你会无缘无故地深感委屈，你这是在装腔作势，可最后你竟然真的感到自己的确受了委屈。不知何故，我一辈子都热衷于玩这套把戏，以致最终我竟难以自制。有一回我曾试图强迫自己去恋爱，甚至出现过两次。先生们，请你们相信，结果我饱尝痛苦。我在心灵深处并不相信这是痛苦，还暗自嘲弄自己，然而毕竟深感痛苦，而且是千真万确、名副其实的痛苦。我妒火中烧，身不由己……而这一切都是因为无聊，先生们，一切都是因为无聊。惰怠压得人喘不过气来。须知，意识产生的直接的、合法的、必然的结果——就是惰怠，即有意识地饱食终日，无所事事。对此我已经在前面说到了。我再重复一遍，郑重其事地重复一遍：所有那些率直的实干家和活动家之所以如此生龙活虎，是因为他们蒙昧无知，目光如豆。这该如何解释呢？应该这样解释：他们由于目光如豆，把近期的和次要的原因当作最原始的原因，因而他们就比别人更快、更轻易地相信，他们已经找到了自己事业无可置疑的依据，于是便心安理得了，而这可是关键所在。须知要开始行动，就必须事先完全心安理得，而且不存丝毫疑虑。然而，就以我为例吧，我是怎样做到心安理得的呢？我所依凭的最原始的原因在哪里呢？根据又在哪里呢？我到哪里去找到它们呢？我开始思考，于是，我的每一个最原始的原因便立即引出另一个更为初始的原因，如此类推，以至无穷。这正是每一意识和思维的本质。因此，这可能又是自然规律。那么，结果究竟是什么呢？还是老一套。请你们想想：我不久前所说的关于报复的话。（也许，你们并未在意。）我说的是：一个人进行报复，那是因为他认为这是正义的行为。也就是说，他找到了最原始的原因，找到了根据，那就是：正义。因此，他在所有方面都很心安理得，并且由于坚信自己正在做一件正当而又正义的事情，因而他就措置裕如、卓有成效地实施报复了。可我却看不出其中有何正义，也找不到其中有何美德，因此，如果我实施报复的话，那只是出于愤恨。愤恨自然能压倒一切、战胜我的一切疑虑，因而也就水到渠成地完全成为替代最原始原因的原因，这恰好是因为它并非原因。然而，假如我连愤恨都没有（我刚才就是从这一点谈起的），那可怎么办呢？我的愤恨毕竟还是由于这些该死的意识规律而起了化学分解。瞧，对象在悄悄挥发，理由在渐渐蒸发，罪魁祸首却找不到，欺辱变得不再是欺辱，而变成了天意如此，变成了谁都没有过错的牙疼之类的东西，因此剩下的仍旧是那条出路——也就是更猛烈地撞墙。于是乎只好漠然置之，因为找不到最原始的原因。可你也可以试一试盲目地沉醉于自己的感觉，不假思索，不寻找最原始的原因，哪怕暂时抛开意识；可以去憎恨，也可以去喜爱，只要不无所事事地枯坐着就行。到后天，这已经是最后的期限了，你就一定会开始自己蔑视自己，因为你明知故犯地欺骗自己。结果是：瞬间破灭的肥皂泡，还有惰怠。哦，先生们，须知我就是因为整个一生开始不了任何事情，也完成不了任何事情，所以才自视为聪明人。就算，就算我跟我们大家一样是个饶舌之人，是个与人无害却令人嫌弃的饶舌之人吧。然而，如果每一个聪明人的直接和唯一的使命就是饶舌，也就是蓄意口若悬河地说一大堆无聊的废话，那又有什么办法呢！

/ 六 /

哦，如果我只是因为懒惰而什么都没做，那该多好啊！上帝啊，那时我将会多么尊重自己啊。我尊重自己，是因为我自己身上至少还能够拥有懒惰；我身上至少还有一种似乎是确凿不移、自己也坚信不疑的品性。有人问：这是个什么人？回答道：懒汉。要知道，能够听到别人这样评价自己，可真是开心极了。这意味着我得到了肯定的评价，意味着关于我还是有话可说的。"懒汉"——须知，这可是一种称号和一种使命，这也是一种职业啊！请你们别见笑，正是这样。那时，我就理所当然地成为超一流俱乐部的一名成员，每天就只是忙于无尽无休地尊重自己了。我认识一位先生，他终生引以自豪的是，他是品拉菲特酒的大行家。他把这看作自己身上真正的优点，并且从来没有怀疑过自己。临终时他不仅志得意满，而且欢天喜地，他这样做可真是对极了。而我也会为自己选择一种职业：我打算做一个懒汉和老饕，但并非普普通通的懒汉和老饕，而是，譬如说，沉醉于一切"美与崇高"的懒汉和老饕。你们觉得怎样？对此我早就梦寐以求了。这"美与崇高"在我整整四十年的生命里重压得我抬不起头来。不过这都是四十年里的事了，而到那时——哦，到那时就是另一番景象了！我会立即给自己找到适当的活动，那就是：为所有"美与崇高"的事物干杯。我会利用任何一个机会，先往自己的酒杯里滴满眼泪，然后为所有"美与崇高"的事物干杯到底。那时，我将把世上的一切都变成"美与崇高"，会在最丑陋不堪、最无可置疑的肮脏中找到"美与崇高"。我会变得像一块湿漉漉的海绵一样，泪水淋淋。比如说，有一位画家画了一幅"盖伊"[1]的画，我马上就为画了这幅"盖伊"的画家的健康干杯，因为我热爱所有"美与崇高"。一位作者写了一篇《各随其便》[2]，我就马上为《各随其便》的健康干杯，因为我热爱所有"美与崇高"。为此我要求人们尊重我，而且将使不尊重我的人不得安宁。我将光风霁月地活着，得意扬扬地死去——这真是美极了，美透了! 那时，我就会长出一个圆鼓鼓的将军肚，胖出一个三重皱的肥下巴，隆起一个红通通的酒糟鼻，让所有遇见我的人都直盯盯地看着我说: "瞧，他真是帅呆了! 这才是真正的正面人物呢! "先生们，随你们怎么想，在我们这个否定的时代[3]，听到这样的评价可真是爽极了。

---

1 指俄国画家尼古拉·尼古拉耶维奇·盖伊 (1831—1894) 的油画《最后的晚餐》。该画 1863 年在美术学院的秋季展览会上展出，在当时的报刊上引起了广泛的争论。俄国作家萨尔蒂科夫—谢德林 (1826—1889) 撰文给予高度评价，陀思妥耶夫斯基则持相反的观点，后来在 1873 年的《作家日记》里还写道: "在盖伊……先生的……画里表现出做作和偏见，而一切做作都是虚伪的，都已经完全不是现实主义了。"

2 作者是萨尔蒂科夫—谢德林，发表于《现代人》杂志 1863 年第 7 期。

3 因为当时的虚无主义者否定一切，所以作家在此如是说，带有讽刺意味。

/ 七 /

然而，这一切都是金灿灿的美梦。哦，你们说说，是谁第一个声称，是谁第一个宣告，人之所以净干坏事，是因为不知道自己的真正利益？不过，假如对他加以开导，让他豁然开朗，看到自己真正的、正常的利益，那么他就会立即停止干坏事，马上变成善良和高尚的人，因为他已经醍醐灌顶，明白了自己的真正利益所在，因此就在善行之中看到自己的切身利益[1]，而众所周知，任何人都不会明明知道还采取违反自身利益的行动，因此，就可以这样说，他是由于必须而行善？哦，幼稚的人啊！哦，纯洁、无邪的孩子！首先，在有史以来的这几千年中，究竟哪个时候一个人是仅仅为自身的利益而行动的？多如牛毛的事实证明，人们明明知道，也就是说，他们完全明白自身的真正利益之所在，却硬是把它们置之一旁，而冲上另一条路，去冒险，去碰运气，没有任何人，也没有任何东西强迫他们这么做，可他们似乎正是偏不愿意走指明的道路，而我行我素、一意孤行地试图另辟蹊径，闯上另一条艰难曲折、匪夷所思、几乎是在漆黑一团中暗暗摸

---

1 作家此处是在和车尔尼雪夫斯基（1828—1889）辩论，后者曾在其《哲学中的人本主义原理》（1860）中强调："只有善的行为才是清醒的；只有善良的人才是有理智的，理智的程度决定于善良的程度。"（详见车尔尼雪夫斯基《哲学中的人本主义原理》，周新译，生活·读书·新知三联书店1958年版，第83页。）

索的道路，对这多如牛毛的事实，又该怎么解释？要知道，对于他们来说，这意味着，这种我行我素、一意孤行确实比任何利益都更使他心花怒放……利益！什么是利益？你们能否担保，给它下一个十分精确的定义——人的利益究竟是什么吗？人的利益有时不仅可能，而且甚至一定表现为，在某种情况下正是宁可希望对自己不利而不希望对自己有利，如果出现这种情况，那又该怎样呢？你们在笑。笑吧，先生们，不过请你们回答：人的利益是否都早已计算得完全准确无误了呢？是否有一些不仅无法纳入，而且也无法归入任何一类的利益呢？要知道，先生们，据我所知，你们所开列的人类利益的整个清单，只是从统计数字、经济学公式中所得出的平均数而已。须知，你们的利益——就是幸福、财富、自由、安宁，以及其他，等等。因此，有一个人，比方说，他明目张胆并明知故犯地公然反对整个这一利益清单，那么，在你们看来，唔，当然我也是所见略同，他必定是一个蒙昧主义者或者彻头彻尾就是个疯子，对吗？然而，奇怪的是：为什么所有这些统计学家、贤哲之士以及人类的热爱者，在计算人类的利益时，总是把其中的一种利益给忽略了呢？即便在计算的时候，也没有把它按其应有的形式加以计算，而整个计算的成败却恰恰取决于此。如果把握住这一利益，并且把它列入清单，那也没什么大不了的问题。可是，最可怕的是，这一复杂的利益却无法归入任何一类，也无法列入任何一张清单。比如说，我有一个朋友……唉呀，先生们！他可也是你们的朋友呢，而且还有谁，又有谁不是他的朋友呢！这位先生只要一准备工作，马上就会滔滔不绝、有板有眼地向你们讲述，他将如何按照理性和真理的规律来行动。不仅如此，他还会激动不已、热情似火地对你们大谈特谈人类真正的、正常的利益；他还会嘲讽地谴责那些既不懂得自己的利益，也不懂得美德的真正含义的鼠目寸光的蠢人；可是——刚刚过了一刻钟，没有任何突如其来的外部缘由，而恰恰是根据某种比其他一切利益更强劲的内在冲动——他突然改弦易辙，也就是说，他公然反对自己刚说过的一切：既反对理性的规律，又反对自身的利益，唔，总而言之，反对一切……我得预先声明，我的朋友——是个集合名词，因此很难仅仅责难他一个人。正是如此，先生们，是否当真存在某种东西，它对于几乎任何人来说都比他的最高利益更为珍贵，或者说（为了不违反逻辑）存在着某种最最有利的利益（这正是我们刚刚说到的被忽略的利益），它比所有其他的利益都更为重要、更为有利，一个人为了它，会在必要时准备反抗一切规律，也就是说，反抗理性、荣誉、安宁、幸福——总之，反抗所有这些美好的、有益的事物，只是为了得到这种原始的、最为有利的、对他来说比什么都宝贵的利益。

"唔，这毕竟也是利益呀，"你们打断我的话说，"对不起，我们还要进而说明，何况问题并不在于一语双关的文字游戏，而在于这一利益之所以那么妙不可言，正是因为它打破了我们所有的分类原则，并总是粉碎热爱人类之士为了人类的幸福而建构的所有体系。总而言之，它搅扰一切。"不过，在我向你们和盘托出这种利益是什么之前，我甘愿冒身败名裂之险，斗胆冒昧地宣布：所有这些美好的体系，所有这些向人类说明什么是他们真正的、正常的利益的理论，其目的是让人类认识到必须努力去获得这些利益，从而立即变得善良和高尚的理论——依我所见，目前还只是逻辑斯蒂[1]！是的，只是逻辑斯蒂！要知道，肯定这种试图通过人类自身利益的体系来使整个人类获得更新的理论，这依我所见，几乎就等于……唔，比方说，就紧随巴克尔之后断言，人由于文明的熏陶，已变得温文尔雅，因此不再那么嗜血成性，好战嗜杀了[2]。从逻辑上看，他似乎理应得出这一结论。然而，人是如

---

1 也叫数理逻辑、理论逻辑或符号逻辑。德国哲学家莱布尼茨（1646—1716）最早提出数理逻辑思想。英国数学家、逻辑学家布尔（1815—1864）1847年发表《逻辑的数学分析》，建立了"布尔代数"，并创建了一套符号系统，利用符号来表示逻辑中的各种概念。他还建立了一系列的运算法则，利用代数的方法研究逻辑问题，初步奠定了数理逻辑的基础，也拉开了用数学方法研究逻辑或形式逻辑问题的序幕。

2 亨利·托马斯·巴克尔（1821—1862），英国历史学家和社会学家。他在其《英国文明史》（1857—1861）中宣称，随着文明的发展，民族间的战争将会逐渐终止。该书于1864—1865年出版了俄译本，传播甚广。

此热衷于构建体系，热衷于抽象结论，因此会随时准备存心歪曲真理，随时准备视而不见、听而不闻，而一个劲地维护自己的逻辑。我之所以举这个例子，是因为它是彰明昭著的实例。请你们环顾四周：到处血流成河，可大家还那么欣喜若狂，倒像这是香槟酒一样。这就是巴克尔也生活在其中的我们整个的19世纪。这就是拿破仑——包括伟大的拿破仑，和当代的拿破仑[1]。这就是北美——一个永久的联盟[2]。最后，这就是滑稽可笑的石勒苏益格—荷尔斯泰因[3]……那么，文明究竟使我们的什么东西变得温文尔雅了呢？文明只是在人身上培养出了丰富复杂的感觉而已……断无其他什么。而通过这感觉的丰富复杂的发展，人甚至会进化到从鲜血中寻找享受。要知道，这类事在人身上早已是司空见惯了。你们是否注意到，那些最嗜杀成性的屠夫几乎个个都是最文明的大人先生们，所有那些形形色色的阿提拉[4]们和斯坚卡·拉辛[5]们有

1 指拿破仑一世（1769—1821）和拿破仑三世（1808—1873），他们两人在位期间，曾多次对外发动侵略战争。

2 指美国1861—1865年间的南北战争。

3 石勒苏益格—荷尔斯泰因原是属于丹麦的两个公国，位于日德兰半岛南部（1386年荷尔斯泰因伯爵把它们统一，1460年合并进丹麦）。为争夺它，1863—1864年普鲁士、奥地利与丹麦发生了战争。1867年，它们成为普鲁士的两个省。

4 阿提拉（约406—453），古代亚欧大陆匈人的领袖和皇帝（434—453），曾率军在拜占庭、巴尔干和高卢等地征战，杀戮甚众，欧洲人称之为"上帝之鞭"。

5 斯坚卡·拉辛（约1630—1671，一译斯捷潘·拉辛），顿河哥萨克，曾领导1667—1671年间的俄国农民起义，失败后被杀。

时都相形失色。如果说他们并不像阿提拉和斯坚卡·拉辛那样引人注目，那正是因为他们太屡见不鲜，太平平常常了，大家都已见多不怪了。由于文明，人如果不是变得嗜血成性的话，那么至少变得比以往的嗜血成性更卑鄙、更丑恶。以往，他把血腥屠杀看作正义行为，因此心安理得地去消灭那些必须消灭的人；可如今，我们尽管认为血腥屠杀是丑恶的勾当，可我们仍旧在干着这丑恶的勾当，甚至比以往干得更多。哪种更坏？——你们自己去评判吧。据说，克娄巴特拉[1]（请原谅我征引罗马史上的例子）酷爱用金针去扎女奴的乳房，并在她们的惨叫和抽搐中获得享受。你们会说，相对而言，那是一个野蛮时代。现在依旧是野蛮时代，因为（也是相对而言）而今仍然有人用针扎人；现在的人虽然学会了有时候看问题比野蛮时代看得更清楚明白，但还远远没有学会按理智和科学的指导去行事。可你们仍旧完完全全地相信，只要某些陈旧的坏习惯彻底消除，只要健全的思维和科学彻底改造并正常指引人的天性，人就一定能够学会。你们深信，那时候人自己就会不再自愿去犯错误了，而且可以说，他就会情不自禁地不再把自己的意志和自己的正常利益割裂了。此外，你们还会说，到那时，科学本身将会教会人认识到（虽然依我看

1　克娄巴特拉（前69—前30），古埃及托勒密王朝的末代女王（前51—前30），貌美如花，被称为"埃及艳后"。

来，这简直是一种奢望），无论是意志或是任性，实际上在他身上都不存在，而且从来都不曾存在过，而他本身只不过是某种类似于钢琴琴键和管风琴销钉之类的东西[1]而已；除此以外，世界上还存在着自然规律；因此他无论做什么，都根本不是依照本人的意愿，而是不由自主地遵循自然规律行事。因而，只要发现这些自然规律，人就无须为自己的行为负责，他也就会活得十分轻松自在。到那时，人的所有行为都自然而然地可以根据这些规律计算出来，用数学的方法，像对数表那样，一直算到十万零八千，并载入历书；或者更好一些，将会出现某些中规中距的出版物，一如当今的百科辞典那样，其中的一切都得到了精确的计算和编排，于是，世界上便不再有任何冒失行为和意外事故了。

那时候——这些话都是你们说的——将会出现一种新的经济关系，一种完全是现成的、同样是用数学方法精确计算出来的经济关系，这样，就在一刹那间，各种各样的问题便会倏然消失，因为这些问题已经有了多种多样相应的答案。

---

[1] 法国哲学家狄德罗（1713—1784）在其《达朗贝和狄德罗的谈话》中说："我们就是赋有感受性和记忆的乐器。我们的感官就是键盘，我们周围的自然弹它，它自己也常常弹自己……"（详见《狄德罗哲学选集》，江天骥等译，商务印书馆1997年版，第129页。）

那时候，水晶宫将耸立起来[1]。那时候……唔，总而言之，卡刚鸟[2]就会飞临人间。当然，绝对无法保证(现在这已是我在说了)，到那时，比方说，就再也不会无聊透顶(因为那时一切都根据图表计算好了，还有什么事情可做呢)；不过，一切都将极其合乎理性。当然，由于百无聊赖，什么事都会想得出来! 由于百无聊赖，也仍旧会用金针扎人，但这算不了什么。糟糕的是(这还是我说的)，到那时，只怕人们还对金针扎人甘之如饴呢。要知道，人是愚蠢的，蠢得无以复加。也可以说，即便他毫不愚蠢，却也极其忘恩负义，以致很难找到例外者。正因为如此，比如，就拿我来说吧，如果在普遍的合乎理性的未来，突然莫名其妙地冒出某位绅士，其貌不扬，或者更确切地说，长着一张抱残守缺、挤满嘲弄的面孔，他两手叉腰，对我们大家说：先生们，我们是否把所有这些理性都一脚踢开，让它烟消云散，唯一的目的就是让所

1　水晶宫是工业革命时代的重要象征物，是一个以钢铁为骨架、玻璃为主要建材的建筑，是19世纪的英国建筑奇观之一。它先是1851年为万国工业博览会(世界博览会)在伦敦塞屯汉山上修建的展览馆，后移至伦敦南部的西得汉姆，并以更大的规模重新建造，1854年6月10日由维多利亚女王主持向公众开放，作为伦敦的娱乐中心存在了82年(1936年11月30日毁于大火)。此处影射车尔尼雪夫斯基的长篇小说《怎么办》中《薇拉·巴甫洛芙娜的第四个梦》所描写的"水晶宫"形象和未来的社会主义社会生活的情景。

2　卡刚是古代中亚某些国家的可汗或国王，因此，卡刚鸟也可译为"可汗鸟""国王鸟"，或意译为"极乐鸟"，这是民间传说中一种能给人带来幸福的神奇鸟。据陀思妥耶夫斯基的《西伯利亚笔记》，他是在流放西伯利亚时听到这一民间传说的。

有这些对数表全都见鬼去，以便让我们重新依照我们愚蠢的意志来生活！这倒还不算什么，但令人恼恨的是，他一定会找到一批追随者：人的本性就是如此。而这一切都是一个渺不足道的原因造成的，这原因简直不值一提：这正是因为，人，无论何时何地，也不论他是什么样的人，都喜欢随心所欲地采取行动，而根本不希望按照理性和利益指明的那样去行动；他想要做的事也可能违反自身的利益，而有时完全应该违反（这已是我的想法了）。自己本人的、随心所欲的、自由自在的意愿，自己本人的、即便是最为野蛮的任性，自己本人的、有时被刺激到疯狂程度的幻想——这一切便是那被忽略掉的、最为有利的利益，正是它无法纳入任何一种分类，且总是使所有的体系和理论土崩瓦解。所有那些贤哲之士都异口同声宣称，人必须有某种正常的、某种高尚的愿望，其根据何在？他们又凭什么认定，人必定需要合乎理性的、有益的意愿呢？人需要的只不过是一种独立的意愿，无论这种独立要付出多大的代价，也无论这种独立会导致什么后果。而且，鬼才知道这一意愿是……

/ 八 /

"哈——哈——哈! 要知道，这一意愿，如果您想知道的话，其实是根本没有的!"你们哈哈大笑着打断我的话。"科学发展至今，已经能够对人进行精确的解剖了，因此现在我们已经知道，意愿和所谓的自由意志只不过是……"

"等一会儿，先生们，我自己也本想这样开始的。我承认，我甚至都害怕了。我刚才就想大声宣布，意愿这东西鬼知道取决于什么，它是什么，这也许真得感谢上帝，让我忽然又想起了科学……于是就没说下去了。而你们这时倒说出来了。要知道，事实上，唔，如果什么时候真的能找到我们的所有意愿和任性的公式，也就是说，搞清它们取决于什么，依照什么规律产生，是怎样发展的，在各种各样的情况下又是朝什么方向进展的，等等，等等，也就是说，找到那个真正的数学公式——果真如此，到那时人也许就不会再有意愿了，而且，也许真的不会再有什么意愿了。又何苦按照表格提出意愿呢? 不仅如此，他还会立即从一个人变成管风琴的销钉或诸如此类的某种东西。因为一个人若是没有意愿，没有意志，没有欲望，那还是什么人呢? 岂不就跟管风琴上的销钉一个样吗? 你们是怎么想的? 咱们来计算一下可能性，这种情况会不会发生呢?"

"哼……"你们断然说,"我们的意愿大部分是错误的,因为我们对自身利益所持的看法是错误的。我们之所以有时倾向于彻头彻尾的胡说八道,是因为我们愚不可及,竟然在这胡说八道中看到了获得某种预期利益的最便捷的途径。唔,然而当所有这一切都在纸上得到了详尽解释和精确计算(这是十分可能的,因为预先就相信某些自然规律人是永远无法认识的,是十分可恶的,也是毫无意义的),那么,到那时当然也就没有所谓的愿望了。要知道,如果意愿什么时候一旦跟理性完全汇通,那么我们能做的就只是推断,而不再是听凭自己异想天开了,因为我们已经不能,比如说,一方面保持理性,一方面又去想望毫无意义的东西,从而明知故犯地对抗理性,给自己带来危害……可是,由于所有意愿和推断都确实能计算出来,因为总有一天我们所谓自由意志的规律会被人们发现,那样一来,就真的可以建造某种类似于表格的东西,而我们也就真的可以按照这一表格提出意愿了。譬如说,如果有一天,有人给我计算好了,并且证明,要是我对某个人做了一个侮辱性的手势,那恰恰是因为我无法不做,而且还非得用某个手指来比画,那么在此情况下,我还有什么自由可言呢,尤其是,如果我还是一位学者,并且在某处修满了学分已获毕业?要知道,到那时,我就能够预先计算出我今后三十年的整个一生了。总而言之,如果真是如此，那我们就会没有什么事可做，反正一味接受就行了。而且总的来说，我们还得不厌其烦地反复告诫自己，在某个时刻和某种情况下，大自然肯定不会来征询我们的意见；我们应当接受的是本来面目的大自然，而并非我们幻想出来的大自然；如果我们果真渴求表格和历书，唔，而且……哪怕是甚至渴求曲颈瓶，那又有什么办法呢，那也只好就接受这曲颈瓶了！否则的话，无须我们同意，曲颈瓶自己也会到来……"

"对的，然而这正是我的难题啊！先生们，请你们原谅我谈玄说理、高谈阔论，这是因为我在地下室生活了四十年！请允许我幻想一番吧。你们瞧：先生们，理性是好东西，这是毋庸争议的，然而理性却终究只是理性，只能满足人的理性能力，而意愿却是整个生命的表现，也就是人的整个生命，既包括理性，也包括一切内心骚动。而且，尽管我们的生命在这一表现里往往显得十分糟糕，但它毕竟总还是生命，而不仅仅是求平方根。要知道，就以我为例吧，我极其自然地想活着，是为了满足我所有的生命机能，而非仅仅为了满足我的理性能力——它只是我全部生命机能的二十分之一。理性能知道什么呢？理性仅仅知道它已经知道的东西（有些东西，理性也许永远也不会知道。这虽然并不让人快慰，但为什么不把它据实说出来呢？），而人的本性却是调动一切，整个儿活动着的，其中既有有意识的活动，也有无意识的活动，即便是撒谎，但它毕竟活动着。先生们，我怀疑你们正不胜惋惜地看着我。你们反复对我说，一个有学问、有教养的人，总之，一个未来的人，是不会有意去谋求什么对自己不利的东西的，这就是数学。我完全同意，这确实是数学。然而，我要向你们重复一百遍，只有在一种情况下，唯一的一种情况下，人才会故意地、自觉地渴望去干那甚至对自己有害的、愚蠢的，甚至是愚不可及的事情，这就是：为了有权渴望去干那对自己甚至是愚不可及的事情，而不愿受到只许做聪明事这一义务的束缚。要知道，这真是愚不可及，这是放纵自己的任性，先生们，事实上，对于大地上所有我们的兄弟来说，这也许是最为有利的东西，在某些情况下，尤其如此。而其中，甚至包括这样一种情况：即便这一事情会给我们带来明显的危害，并与我们的理性有关利益所得出的最为合理的结论大相径庭，它仍然是比一切利益都更为有利的利益。——因为它无论如何为我们保全了最主要和最珍贵的东西，也就是我们的人格和我们的个性。有些人会断然指出，这对于人来说，也确实是最可贵的。当然，要是愿意的话，意愿也是能够与理性和谐一体的，特别是如果不滥加使用，而恰到好处地运用的话。这不仅有益，而且有时甚至还值得称赞。然而意愿却极其常见地，而且甚至在大多数情况下都是我行我素地与理性分庭抗礼的，而且……而且……
你们可知道，这也是不仅有益，而且有时候甚至值得大加称
赞的吗？先生们，我们暂且假定，人并不愚蠢。（说实话，须
知无论如何不能这样说人，哪怕只是出于这样一个理由：如
果他是愚蠢的，那么还有谁是聪明的呢？）但是，即便他并
不愚蠢，那么也依然是极其忘恩负义的！忘恩负义到了极点。
我甚至认为，人的最好的定义——这就是：一种长有两脚且
忘恩负义的动物。不过，这还并非全部，这还并非人的主要
缺点，他最主要的缺点——那是天长地久的品质恶劣，天长
地久，从远古洪水时代直到人类命运中的石勒苏益格—荷
尔斯泰因时期。品质恶劣，而因此就产生了不明智。因为大
家早已知道，不明智的根源并非其他，而就是品质恶劣。你
们不妨看看人类历史。唔，你们看到了什么？壮丽辉煌吗？也
许，可以说是壮丽辉煌吧。比如说，光是罗德岛的那尊巨型
雕像[1]，就非同寻常！难怪阿纳耶夫斯基[2]先生在谈到它时指出，
有人断言它是人类双手的杰作；另有人则认为，它是大自然

1　罗德岛是爱琴海中的希腊岛屿，岛上有一座太阳神铜像，据记载高 32 米（实际高 36.5 米），建于前 292—前 280 年，是古代世界七大奇迹之一（另外六大奇迹是埃及的金字塔、巴比伦的空中花园、以弗所的阿尔忒弥斯神庙、奥林匹克的宙斯神像、哈利卡纳苏的摩索拉斯陵墓、亚历山大城的灯塔），前 225 年因地震倒塌。

2　A.E. 阿纳耶夫斯基（1788—1886），俄国一些平庸著作的作者，是 19 世纪中叶俄国报刊嘲笑的对象。

的创造。五光十色吗? 也似乎可以说是五光十色。只要研究一下所有时代和所有民族武官和文官的礼服——仅此一项，就非同小可，而文官的制服就更是令人目迷五色、晕头转向，没有一位历史学家能对付得了。枯燥无味吗? 唔，也似乎可以说是枯燥无味: 总是打来打去，现在也在打，过去也在打，将来还要打——你们也会赞同，这实在是太枯燥无味了。总之，关于全世界的历史，凡是头脑里最混乱的想象力所能想到的一切，都能用来形容。唯一不能说的，就是合乎理性。刚一开口就会被噎住。在这里，甚至还常常会遇到这样的情景: 在生活中经常会出现这样一些冰清玉洁、知情达理的人，这样一些贤哲之士和人类的热爱者，他们为自己立定目标: 一辈子都要尽可能与人为善，并合乎理性，也就是说，要以身作则以便启迪他人，特意向他人证明，人确实可以与人为善并合乎理性地在世上生活。结果怎样呢? 如所周知，其中有许多人在钟鸣漏尽之前，或迟或早会背叛自己，闹出一些笑话，有时甚至是丑态百出的笑话。现在我请问诸位: 对于人这种天赋如此古怪的生物，又能期望什么呢? 即便你们把人世间所有的幸福全都倾泻给他; 即便把他们由顶至踵全都淹没在幸福之中，只有一些吐出的小气泡在幸福的水面晃跃; 即便给他极其富足的经济生活，使他除了睡觉、吃甜饼，以及操心着全世界的历史不致中断以外，再也不需要做任何事情——即便这样，他也仍是那样的人，依然会只是由于忘恩负义，只是由于恶意诽谤，而干出卑鄙肮脏的事情。他甚至会拿甜饼来冒险，故意做出极其有害的荒唐行径，最不合算、毫无意义的愚昧之事，只是为了在所有这一切积极正确、合乎理性的东西里掺进自己那有害的幻想成分。他要坚守的正是自己那些稀奇古怪的幻想，那些俗不可耐的蠢事，唯一的目的就是为了向自己证明（似乎这样做反倒非常必要），人毕竟是人，而非钢琴上的琴键，尽管自然规律亲手弹奏这些琴键，但也可能弹奏出这样的危险，除了按日程表办事外，人们再也做不出任何事来。而且，不仅如此，即便人真是钢琴的琴键，即便用自然科学和数学方法向他证实了这一点，在此情形下，他也不会幡然醒悟，并且仅仅因为忘恩负义而非要反其道而行之。说实话，这是固执己见。然而，如果他一筹莫展，那他就会千方百计大搞破坏，制造混乱，想方设法搞出各种各样的苦难，以此来固执己见！并向全世界散播诅咒，因为只有人才会诅咒（这可是人的特权，是其区别于其他动物的最主要之处），须知他也许单靠诅咒就能如愿以偿，也就是真的深信他是人，而非钢琴的琴键！如果你们说，混乱也好，黑暗也好，诅咒也罢，这一切既然都可以根据表格计算出来，那么只要有预先推算的可能，就可以防止这一切，理性就会产生作用——那在此情况下，人就会故意变成疯子，以便抛开理性，而固执己见！我坚信这一点，并且对这一观点负责，因为须知人类所有的问题，似乎的确就在于，人无时无刻不在向自己证明，他是人，而非管风琴上的销钉！即便是间接证明，那也是证明；即便使用原始的方法来证明，那也是证明。这样一来，他怎能不犯罪，怎能不吹牛皮说，这种事情还从未有过，而意愿这东西暂时还只有鬼知道取决于什么……"

你们一定会对我大喊大叫（如果说你们还肯赏脸对我大喊大叫的话），须知这里可并没有任何人要剥夺我的意志啊；这里大家只是想方设法精心安排，以便使我的意志自觉地与我的正常利益，与自然规律和算术和谐一致。

"唉，先生们，当事情已经发展到表格和算术的地步，当只有二二得四红极一时的时候，还有什么自己的意志可言呢？即便没有我的意志，二二也是得四。这也能算自己的意志吗！"

先生们，我当然是在开玩笑，而且我自己也知道，这玩笑开得并不成功，不过，可也并不能把一切都看成是玩笑。我也许是在咬牙切齿地开玩笑呢。先生们，有些问题在困扰着我，请你们帮我解惑。比如说，你们试图让人改掉旧习惯，并且试图依照科学和健全思想的要求来矫正他的意志。然而你们怎么知道，人不仅可能，而且必须如此改造呢？你们从哪里得出结论，认定人的意愿急需加以矫正呢？总而言之，你们怎么知道，这种矫正确实能给人带来益处呢？而且，如果把话说到底，你们为何如此确信不疑，不悖逆那些为理智和算术做保证的真正的、正常的利益，就真的会对人永远有利，而且这对于整个人类来说还是一条规律呢？须知，这暂时只不过是你们的一个假设。我们就假定这是一条逻辑规律吧，但或许根本就不是人类的规律。先生们，也许你们认为我是个疯子吧？请允许我稍作说明。我同意：人是一种动物，主要是一种具有创造性的动物，注定要自觉地追求目标并从事工程技艺，也就是说要一生一世、接连不断地为自己开辟一条无论通向何方的道路。然而，有时他也试图滑离正道，可这也许正是因为他注定要开辟出这条道路，也许还有一个原因，即无论率直的实干家多么愚不可及，但有时终究会想到，道路几乎总是得通往什么地方，而且主要问题并非道路通往什么地方，而在于道路必须直通下去，以便让那些冰清玉洁的孩子们不至于因为蔑视工程技艺而沉溺于害人不浅的游手好闲，而游手好闲，众所周知，那可是万恶之源。人喜欢创造，也喜欢开辟道路，这毋庸置疑。然而，他为何又如此热衷于破坏和混乱呢？对此，你们倒说说看！不过，我对此倒想特别说几句。人之所以如此热衷于破坏和混乱（须知这是毋庸置疑的，他有时对此甚至堪称酷爱，这已是不争的事实了），也许是因为，他自己在下意识里害怕达到目的，完成他所建造的大厦？你们怎会知道，也许他只是喜欢从远处而绝非从近处观赏那座大厦；也许他只是喜欢建造大厦，而并不喜欢住进其中，以便以后把它留给 aux animaux domestiques [1]，留给诸如蚂蚁、绵羊等等之类的东西。可蚂蚁是一种完全别有风味的生物。它们拥有一座与此类似、永远无法毁损的神奇大厦——蚂蚁窝。

极其可敬的蚂蚁从蚂蚁窝开始其生活，大概也在蚂蚁窝终结其一生，这使它们因持之以恒和积极务实赢得了巨大的声誉。不过，人却是一种思想轻浮、恬不知耻的生物，也许他就像棋迷一样，喜爱的只是达到目的的过程，而非目的本

1　法文，意为"家畜"。

身。而且，谁知道呢（无法保证啊），也许人类在大地上追求的全部目的，仅仅就在于达到目的这一连续不断的过程，换句话说——就是生活本身，而非目的本身，当然，这目的不是别的，就是二二得四，也就是说，是一个公式，然而，先生们，须知二二得四已经并非生活，而是死亡的开始了。至少，人不知为何总是对这个二二得四感到害怕，而我现在就满怀惊恐。我们暂且假定，人心心念念只想探寻这二二得四，在这一探寻过程中，不惜远渡重洋，牺牲生命，然而，上帝可以做证，不知为何他又有点害怕探寻到它，害怕真的找到它。因为他感到，一旦探寻到了，就再也没有什么东西可探寻了。工人们在干完工作后，至少可以领到工钱，接着便到小酒馆里去酗酒，然后便进了警察局——唔，这就是一周的生活。可人又能到哪里去呢？至少每次当他达到类似的目的时，脸上都会流露出某种怪难为情的表情。他喜欢达到目的的过程，却并不太喜欢达到目的本身，这当然极其可笑。总而言之，人天生就是滑稽可笑的；所有滑稽的笑话，都发源于此。然而，二二得四——毕竟是令人厌恶透顶的东西。二二得四——依我所见，这简直就是蛮不讲理。二二得四趾高气扬、双手叉腰地站着，迎面挡住你们的去路，向你们吐着唾沫。我承认，二二得四是高妙绝伦的东西；然而既然任何东西都得赞扬，那么二二得五有时也是十分可爱的东西呢。

而且你们为何如此坚定不移，如此郑重庄严地确信，只有一种正常的、正面的东西呢——简而言之，只有一种幸福才对人有益呢？在利益的问题上，理性是否出了差错？须知，也许人喜爱的不仅仅是幸福？也许，他也完全同样地喜爱苦难呢？也许，苦难对他来说，也相当有益，一如幸福那样？而人有时会酷爱苦难，酷爱到极点，这也是事实。这事无须到世界通史中去查证。只要您是人并且只要稍稍生活过，问问您自己就行了。至于我个人的意见，我认为，如果只喜爱幸福，那甚至是不怎么体面的。不论是好是坏，但是有时破坏某种东西也是其乐无穷的。须知我在这里并非崇尚苦难，也并非崇尚幸福。我主张……捍卫自己的任性，并且捍卫那在我需要时能为我的任性提供的保障。比如说，在轻松的喜剧里是不允许苦难存在的，我对此是知道的。在水晶宫里苦难更是不可思议：苦难就是怀疑，就是否定。如果在水晶宫里都有怀疑，那还算什么水晶宫呢？然而，我还是坚信，人永远不会拒绝真正的苦难，也就是说永远不会拒绝破坏和混乱。苦难——要知道，这就是意识产生的唯一原因啊。我虽然在一开始就说过，意识是人最大的不幸，然而我知道，人喜爱意识，不愿用任何赏心乐事去替换意识。比方说，较之二二得四，意识就显得高明无比。在二二得四之后，当然也就不会再留下什么了，不仅无事可做了，而且也没有什么可以去认知的了。到那时，能做的一切，就是封闭自己的五官，沉浸到冥思玄想之中。唔，在意识活动的过程中，也可能出现同样的结果，即也可能同样无事可做，但至少有时还可以揍自己一顿，而这毕竟还能振作一下。即便是退入野蛮，但毕竟强于一无所为。

/ 十 /

　　你们深信那永远无法毁坏的水晶宫大厦，也就是说你们深信那既不能偷偷地对它吐舌头，也不能暗地里对它做侮辱性手势的大厦。而我呢，却害怕这样的大厦，也许就因为它是用水晶建造的，而且是永远无法毁坏的，还因为甚至都不能偷偷对它吐舌头。

　　你们看看吧：如果并非宫殿，而是个鸡窝，又下起了雨，我也许会钻进鸡窝，以免淋得浑身湿透，但我毕竟不会因为感激鸡窝让我躲雨而把它当作宫殿。你们在笑，你们甚至说，在这种情况下，鸡窝与庞大的宫殿——已毫无差别。我回答道：对啊，如果活着只是为了不被雨淋湿的话。

　　然而，假如我硬是认定，人活着并不仅仅是为了这个目的，并且认定，如果活着，就该生活在宫殿里，那又该怎么办呢? 这是我的意愿，这是我的想望。你们只有改变了我的想望，才能把它从我的头脑里连根铲除。唔，你们就来改变吧，你们用别的东西来让我心往神驰，给我另一种理想吧。可眼下我是绝不会把鸡窝当成宫殿的。即便水晶宫是幻想的海市蜃楼吧，即便按照自然规律它是根本不可能存在的吧，即便我仅仅出于自己的愚蠢、出于我们这代人某些陈腐不堪、不合情理的习惯把它杜撰出来吧，我都是这个看法。然而，水晶宫该不该存在，跟我又有什么关系？如果它存在于我的想望之中，或者说得更确切些，只要我的想望存在它就存在，这不是毫无二致吗？也许，你们又笑了？那么你们尽管笑吧，我接受所有的嘲笑，但我仍旧不会在我感到饿的时候说肚子饱了。我毕竟知道，我绝不会只是因为它是依照自然规律存在着，而且是千真万确地存在着，就对折中甘之如饴，并心安理得于绵绵不断、循环往复的"零"。我绝不会把一座大楼视为自己的最高愿望——这大楼的房间都按一千年的租房合同租给了贫穷的房客，而且为防万一还有牙医瓦根海姆挂牌行医。请你们消灭我的愿望，铲除我的理想，并给我指明更美好的未来，那我就跟你们走。你们也许会说，不值得同我这种人打交道。不过，在此情况下，须知我也可以以其人之道还治其人之身。我们是在郑重其事地进行讨论。如果你们不肯赏脸关注，那么我也绝不会曲意逢迎的。我还有地下室呢。

不过，只要我还活着，还怀着希望，那么，哪怕我为那座大楼添上一小块砖[1]，就让我的手烂掉！你们别以为，刚才我亲口否定水晶宫，仅仅是因为不能向它吐舌头嘲弄它。我之所以这样说，根本不是因为我那么喜欢吐舌头。也许，我怒从中来的原因，仅仅是因为在你们所有的建筑物中，至今还

---

1 此处影射法国空想社会主义者傅里叶（1772—1837）的弟子孔西德朗（1808—1893）常说的一句话："我要为未来社会的大厦添砖加瓦。"

找不到一所能让人不向它吐舌头的。相反，只要建成让我永远也不再想吐舌头的称心如意的建筑，那么，单单为了表示感谢，我也情愿把自己的舌头连根割掉。至于说完成不了这样的建筑，因而只能满足于一般的住房，那就不关我的事了。可究竟为何我天生就有这样的愿望呢？莫非我生下来就只是为了得出这样的结论，即我的整个生存都只是一场骗局？难道这就是人生全部目的之所在？我不信。

然而，你们要知道：我确信，对于我们这帮地下室兄弟必须严加管束。他虽然能一声不吭地在地下室里住上四十年，可是，一有机会冲破桎梏，来到光天化日之下，他就会口若悬河，说呀，说个不休……

/ 十一 /

归根结底，先生们：最好还是什么事也不做！最好还是自觉的懒惰！因此，地下室万岁！我虽然也说过，我对正常人羡慕极了，然而，当我看见他们那种生活状况，我可不愿做他们那样的人了。（尽管我仍在欲罢不能地羡慕他们。不，不，无论如何地下室都更有益些！）在那里至少可以……哎呀！须知我这也是在撒谎啊！我撒谎，是因为我像二二得四一样清楚地知道，根本就不是地下室好，而完全是别的什么地方，是一个梦寐以求而又无论如何也找不到的地方！让地下室见鬼去吧！

甚至，能这样可就最好了，这就是——如果我自己对现在写下的一切东西能多多少少相信那么一点。我向你们起誓，先生们，我对我刚刚匆匆写就的一切，连一句话都不相信，甚至连一个字也不相信！也就是说，我相信倒也相信，不过与此同时，不知何故，我总深感并且怀疑自己是在笨拙地撒谎。

"那您究竟为了什么写下这一切呢？"你们对我说。

"啊，如果我把你们在地下室里关上四十年，任何事都不让你们做，四十年之后我再到地下室里来看你们，你们将变成什么样子？难道可以让一个人任何事也不做地孤零零待上四十年吗？"

"这既不可耻，也不有失体面啊！"你们会鄙夷不屑地摇着头对我说，"您渴望生活，并且自己用混乱不堪的逻辑来解决生活问题。您举止多么轻狂，多么令人厌恶，但与此同时，您又多么提心吊胆！您胡说八道，并以此沾沾自喜；您言语粗鲁，而自己又无休无止地为此担惊受怕，请求原谅。您要人家相信，您天不怕地不怕，与此同时，您又对我们的意见阿谀逢迎。您要我们相信您恨得咬牙切齿，与此同时，您却大说俏皮话，逗我们发笑。您知道您的俏皮话并不俏皮，但您显然认为它富有文采而自我陶醉。您也许真的受过苦难，然而您丝毫也不尊重自己的苦难。您也掌握了真理，可您却缺乏高风亮节；您出于渺不足道的虚荣心，拿您的真理到处炫耀、出乖露丑、大做交易……您确实想说出点什么来，然而，却由于内心恐惧而藏起了至关紧要的话，因为您没有和盘托出的毅然决然，却只有厚颜无耻的胆小如鼠。您夸耀意识，但您又总是摇摆不定，因为您虽然也在困心衡虑，但您的心灵却已被淫逸放荡所腐蚀，而没有纯洁的心灵——也就不会有完全的、正确的意识。而且您是多么惹人厌烦，多么纠缠不清，多么装腔作势！谎言，谎言，全是谎言！"

当然，你们所有的这些话，都是我眼下即兴编造出来的。这同样也出自地下室。我在那里一连四十年都贴着缝隙偷听你们的话。我自己编造了这些话，须知我也只能编造出这些话来。这不足为奇，因为这些话早已烂熟于心，并且富于文学韵味……

可是，难道、难道你们果真会如此轻信，似乎我真会把这一切刊印出来，并且还要给你们阅读吗？而且，我还有一个任务：为什么我真的称你们为"先生们"？为什么要像真的对待读者一样对待你们呢？我有意吐露的这些内心自白，是不会刊印出来，也绝不会给别人阅读的。至少我自己还没有那么大的决心，而且也不认为有这种必要。可是，你们知道吗？我忽然灵光一闪，脑海里出现一个幻想，而且试图无论如何都要实现它。事情是这样的：

每个人的回忆里都有这样一些东西，它们不能公之于众，而只能向朋友们公开。还有一些东西，即使对朋友也不能公开，而只能对自己公开，而且还得在隐秘情况下。然而，最后还有这样一些东西，甚至都害怕对自己公开，并且这样的东西，在每一个正派人那里都有相当多的积累。甚至可以这样说：一个人越是正派，这样的东西就越多。至少我本人是不久前才下定决心回忆我过去那些奇遇的，而在此以前我总是刻意回避它们，甚至还有点惶恐不安。现在呢，我不仅开始回忆，而且还决定把它们笔录下来，此刻我正是试图考验一下：能否做到至少对自己完完全全地坦诚，而不害怕全部真相？我想顺便提一下：海涅曾断言，真实的自传几乎是不可能的，人在谈到自己的时候肯定会大量撒谎。据他看来，比如说，卢梭在其《忏悔录》里就肯定对自己撒了不少谎，甚至出于虚荣而有意大撒其谎。[1] 我坚信海涅说得对，我十分清楚地懂得，有时候仅仅出于虚荣，人就可能给自己罗织整套罪名，而且还十分清楚地认识到，这虚荣属于哪种类型。不过，海涅评论的是在公众面前忏悔的人。而我只为自己一个人写作，而且我要一劳永逸地声明：如果说我似乎也是为读者而写作的，那也只不过是为了装装样子，因为这样我便可以更轻车熟路地写下去。这不过是形式，虚有其表的形式而已，我可是永远也不会有读者的。我对此早已有言在先。

在《手记》的措辞和文体方面，我不想受到任何束缚。我不会硬性规定什么秩序和体系。我想到什么就写什么。

唔，马上举个例子：你们可能会对我的话抵瑕蹈隙，并且责问我，既然您真的考虑不给读者看，那么您现在为何还要在纸上自己给自己订立这样一些规矩，说什么不会硬性规定什么秩序和体系，想到什么就写什么，如此等等呢？您为

1　德国诗人海涅（1797—1856）在其著作《论德国》第二卷的《自白》（1853—1854）中写道："撰写一篇自我描述不仅非常棘手，甚至无法进行……凭着天地良心，没有一个人会对自己的情况说出真话。而且迄今为止，还没有一个人，无论他是圣奥古斯丁，那位希波城虔诚的主教，还是日内瓦人让·雅克·卢梭，曾经成功地做到过这一点，尤其是后者，做得最差。他自称为专讲真话、追求自然之士，可是骨子里他比他的同时代人更为虚假，更为矫揉造作。"详见《海涅文集·小说戏剧杂文卷》，张玉书选编，人民文学出版社 2002 年版，第 248 页。

何要解释呢? 您为何要道歉呢?

"请少安毋躁。"我答道。

这里可有一整套心理学啊。也许，因为我只是一个胆小鬼。但也许是因为我故意想象自己面前有大批读者，以便我在写作《手记》的时候，能够安分守己些。可以有上千个原因。

然而，问题又来了：我本人究竟因为什么原因，为了什么目的而想要写作呢? 如果不是为了读者，那么不是可以这样：把一切默默记在心里，而不必形诸文字记在纸上吗?

果真如此，不过写在纸上毕竟显得郑重一些。这里面有某种能警醒人的东西，能更多地评判自己，变得有章法。除此以外，也许我还能因为写作《手记》，真的获得慰藉。比如说，眼下就有一个不久前的回忆重压在我心头。还在几天前，我就清清楚楚地记起了它，从那时起它就像让人烦恼的音乐旋律，萦绕不去，缠住了我。但是，必须驱除它。这样的回忆我有成百上千个；而在这成百上千个回忆里时常会有某一个突然冒出来，重压在我心头。不知为何，我相信，如果我把它笔录下来，我就可以摆脱它。那么，我为什么不试一试呢?

最后，还有一点：我觉得百无聊赖，可我却经常什么事也不干。写作《手记》倒确实似乎在工作。据说，人一工作，就会变得心地善良、光明磊落。唔，这至少是一个机会啊。

此刻正在下雪，几乎是湿乎乎、黄糊糊、脏兮兮的雪。昨天也下雪，这几天都在下雪。我觉得，湿乎乎的雪使我触景生情，回想起了那件直到如今还缠绕在心头的逸事。那么，就把这个故事称为《湿雪纷飞》吧。

第二章　湿雪纷飞 [1]

1　俄国 19 世纪 40 年代的批评家指出，在自然派作家的小说里，"湿乎乎的雪"
是彼得堡景色的典型特征。

当我用激情洋溢的规劝话语

从迷雾的黑暗里

把一个堕落的灵魂拯救，

你满怀着深深的痛苦，

绞扭着双手，诅咒

那纠缠着你的恶习；

当你用回忆来谴责

那健忘的良心，

你向我讲述了一切

遇到我之前的事情，

你突然双手掩面，

羞愧难当，万分惊恐，

你洒下热泪淋淋，

激动不已，满怀愤恨……[1]

等等，等等，等等。[2]

——录自尼·阿·涅克拉索夫的诗

1　此处引用的是涅克拉索夫（1821—1878）创作于1845年的一首诗《当我用激情洋溢的规劝话语……》，该诗对社会底层的牺牲品———堕落的女人（妓女）充满了深切的同情，曾在当时及以后二十多年里被传诵。

2　此处为原文所有，省略了很多句诗的意思。

/ 一 /

　　那时，我才二十四岁。当时，我的生活就已经郁郁寡欢，杂乱无章，并且茕茕孑立，形影相吊。我不和任何人交往，甚至避免跟任何人说话，越来越深地龟缩进自己的角落里。在办公室上班时，我甚至极力不看任何人，我也十分清楚地发现，我的同事们不仅把我当作怪人，而且——我一直觉得就是这样——似乎还用某种厌恶的目光在看我。我不禁深思：除了我，为什么没有一个人感到别人是用厌恶的目光在看他呢? 在我们办公室里，有个同事形貌丑陋，满脸麻子，甚至似乎还颇有强盗相。要是我长着这么一副有碍观瞻的面容，定然不敢抬起头来看任何人一眼。另一个同事，身上的制服又脏又破，一挨近他身边就能闻到一股臭味。然而，这两位先生中竟然没有哪一位感到不好意思——无论是因为衣服，或是因为尊容，还是因为品性方面的什么问题。无论是这一位，还是那一位，都不会想到，别人会用厌恶的目光看他们。而且他们即使想到了，也毫不在乎，只要不是上司如此看他们就行。而今，我完全明白了，由于自己那有加无已的虚荣心，以及由此而来的对自己的苛求，因而对自己不满到了极点，进而由不满发展为厌恶，于是，就在内心里把自己的看法强加给了每一个人。比方说，我对自己的脸深恶痛绝，觉得它丑陋不堪，甚至还怀疑它上面有某种下流无耻的表情，因此，每次上班时，我都要停辛贮苦地让自己摆出一副独立不羁的姿态，使别人不致怀疑我下流无耻，同时也尽可能让脸上的表情显得高贵一些。"脸长得不美就让它去吧，"我心想，"不过，要让它显得高贵，表情生动，而最重要的是极其聪明。"然而，我确切又痛苦地意识到，所有这些优点永远无法用我这张脸表现出来。而最为可怕的是，我发现这张脸真是蠢笨不堪。但我心里还是完全能够容忍的。我甚至可以承认脸上的表情下流无耻，只要别人同时认为我的脸聪明绝顶就行。

　　自然，我憎恨我们办公室的所有同事，从上到下，概莫能外，而且鄙视所有人，然而与此同时，我又似乎害怕他们。常常，我甚至会忽然认为他们远远高于自己。那时不知怎么会出现这种情形：我时而鄙视他们，时而又认为他们远远高于自己。一个富有修养、作风正派的人，如果不是自己对自己无尽无休地求全责备，并在某些时候蔑视自己达到憎恶的程度，那他就不可能产生虚荣心。可是，鄙视他们也好，认为他们远远高于自己也好，我在遇到的每一个人面前都会低下目光。我甚至做过实验：我能否经受住某个人射向我的目光，可总是我第一个垂下目光。这使我痛苦得几乎发疯。我生怕自己显得可笑，甚至害怕到病态的程度，因此我奴性十足地崇拜有关仪态举止的一切成规惯例。我真心喜爱循规蹈矩，并且打心眼里害怕自己有任何标新立异的行为。然而，我又怎么能熬受得住呢？我是一个病态的富有教养的人，就像当今时代所要求成为的富有教养的人那样。而他们大家却全都浑浑噩噩，而且彼此就像羊群中的羊那样何其相似。也许，在整个办公室里，只有我一个人常常觉得自己是胆小鬼和奴才。而这正是因为，我是个富有教养的人。不过，这不仅是感觉，而事实上也果真是这样：我是个胆小鬼和奴才。我这么说，并不感到丝毫的不好意思。当代任何一个作风正派的人都是，而且应该是胆小鬼和奴才。这——才是他的正常情形。我对此深信不疑。他们生来如此，老天就是这么安排的。而且不仅在当代，也不仅是由于某些偶然因素造成的，而是总的说来，在任何时代，一个作风正派的人都应该是胆小鬼和奴才。这是世上所有作风正派者的自然规律。如果他们中偶尔有谁麻起胆子干了什么事情，那可千万不要以此自我安慰并沾沾自喜：因为他在别人面前终究会心虚胆怯的。这是唯一而永恒的出路。只有蠢驴和他们的低能子孙才会硬充好汉，然而，须知这也只有到了走投无路的时候才会如此。对他们无须关注，因为实在不值一提。

当时还有一种情况让我苦恼不堪，具体地说，就是没有一个人与我相似，我也不与任何人相像。"我只是唯一，而他们是全体。"我思忖着，接着便陷入深思。

由此可见，我还完全是个小顽童呢。

也时常出现截然相反的情形。须知有时我甚至对上班办公都深恶痛绝，以致达到如此地步：许多次我下班回家，竟像大病了一场。可是突然之间，又会无缘无故地升起一股疑神疑鬼、漠不关心的情绪（我的情绪总是变幻不定），于是我自己也嘲笑自己的过于偏执和吹毛求疵，责备自己沉醉于浪漫主义。我时而不愿跟任何人说话，可时而又不仅要跟他们畅所欲言，而且恨不得和他们相互视为知己。所有的吹毛求疵会突然之间无缘无故地云消雾散。谁知道呢，也许我从来就不曾有过这种吹毛求疵，而只是装腔作势，从书本上照搬的？我至今还没有搞清这个问题。有一次，我甚至跟他们成了莫逆之交，开始对他们登门拜访，和他们一起打牌，一起喝酒，谈论职务升迁……不过，在这里，请允许我说几句题外话。

一般说来，在我们俄国人中，从来没有那种德国式的尤其是法国式的愚不可及、超凡脱俗的浪漫主义者，他们对什么都无动于衷，即便是天崩地裂，即便整个法国都战死在街垒上——他们也依然故我，甚至为了体面而安之若素，并且依旧高唱他们那超然物外的歌，也就是说，会一直唱到寿终正寝，因为他们全都是傻瓜。而我们这里，在俄罗斯大地上，就没有傻瓜，这是众所周知的，因此我们也就不同于德国等其他国家。这样，我们也就没有那种纯粹超凡脱俗的人物。那都是我们当时那些"积极的"政论家和批评家一心追星，把科斯坦若格洛[1]们和彼得·伊万诺维奇[2]大叔们傻乎乎地崇奉为我们的理想，并臆造出一大堆我们的浪漫主义者，认为他们就是那些超凡脱俗的人，一如在德国或法国那样。恰恰相反，我国浪漫主义者的特性，与超凡脱俗的欧洲浪漫主义者截然不同，而且日月交食，欧洲的任何一种尺度在我们这里都不适用（还请允许我使用"浪漫主义者"这个词——一个古老的、可敬的、名副其实而又众所周知的词）。我国浪漫主义者的特性是：了解一切，洞察一切，而且常常比我们那些最最积极的贤哲之士都无可比拟地看得更为清楚；对任何人任何事都不妥协，但与此同时又对任何东西都不嫌弃；一切都尽量回避，事事都极力退让，对所有人都彬彬有礼；总是紧盯着有利的、实际的目标（比如某些公家住宅、退休金、星形勋章）——透过热情洋溢和一本本抒情诗集来盯住这一目标，与此同时又至死不渝地胸怀"美与崇高"，而且还顺便像悉心爱护什么珍宝一样保养好自己的身

1　果戈理（1809—1852）长篇小说《死魂灵》（1842）第二部第三章中的一个人物，是一个勤劳务实、精明能干、善于理财的地主。

2　冈察洛夫（1812—1891）长篇小说《平凡的故事》（1847）中的一个人物，是头脑清醒、办事认真、精明能干的化身。

体，而这样做至少比方说还是为了有利于那"美与崇高"。我国的浪漫主义者是豪放不羁的人，又是我们所有骗子中的头号骗子，我可以向你们保证……甚至就凭经验。当然，这一切还取决于浪漫主义者是否聪明。我这到底说的什么话呀！浪漫主义者永远是聪明的，我只是试图指出，即使我们这里也有过浪漫主义傻瓜，那也是不能算数的，其唯一的原因是，他们还在年富力强的时候就摇身一变，完全变成了德国人，而且为了更妥善地保存自己的珍宝，都已迁移到国外的什么地方，大多数都定居在魏玛或黑森林[1]了。比方说，我打心底里鄙视自己的这份公务，只是迫不得已才没有弃之如敝屣，因为我本人坐在那里，就可以领到薪水。结果就是——请你们注意，我最终并没有弃之如敝屣。我国的浪漫主义者宁愿发疯（不过，这极其罕见），也不会弃之如敝屣，如果他没有谋定另一份职业，而又始终没有人赶他走的话，除非他被当作"西班牙国王"[2]而送进疯人院，但那也得等到他已经彻底疯了的时候。然而，须知我们这里只有弱不禁风和乳臭未干

1　魏玛，德国东部的历史文化名城，在莱比锡西南，曾是德国文化以及文学艺术中心，大文豪歌德和席勒都曾长期在这里生活与创作。黑森林是德国最大的森林山脉，位于德国西南部山岭区的巴登—符腾堡州，其西边和南边是莱茵河谷，最高峰是海拔1493米的菲尔德山，多矿泉和疗养地。

2　典出果戈理的《狂人日记》（1835），主人公波普里希钦发了疯，自以为是"西班牙国王"。

的人才会发疯。不知凡几的浪漫主义者——后来都获得了高官厚禄。真是八面玲珑,非同寻常!左右逢源于各种最最矛盾的感觉,本领多高!我那时就为此深感欣慰,而且至今仍抱着同样的想法。正因为如此,我国才会有这么多"豪放不羁的人",他们甚至在极其堕落的时候也从来不会丧失自己的理想;虽然他们不会为这一理想动一动手指头,虽然他们是罪大恶极的强盗和窃贼,但他们依旧十分尊重自己最初的理想,而且内心非常诚实。是的,只有在我们这里,彻头彻尾的无耻之徒才可能完全内心诚实、品德高尚,与此同时,又丝毫不妨碍他仍旧是个无耻之徒。我再说一遍,我国的浪漫主义者中常常会不断地出现一些能干的恶棍(我喜欢用"恶棍"这个词),他们会突然表现出惊人的现实感和对实际情况的熟知,以致使上司和公众惊愕得目瞪口呆、咋舌不已。

他们变化多端的能力确实令人惊异,而且只有上帝知道这种变化多端,在今后的环境下将会转变成什么,还会磨炼成什么,在我们的将来它又会给我们带来什么!但这材料可真不错!我这样说,绝非出于某种可笑的爱国主义或克瓦斯爱国主义[1]。不过,我确信,你们必定又认为我是在说笑话了。

---

1 克瓦斯是盛行于俄国的一种含低度酒精的发酵饮料。"克瓦斯爱国主义"指那种敝帚自珍,甚至夜郎自大式地推崇自己祖国(包括落后东西在内)的一切的狭隘民族主义。

可谁知道呢，也许恰恰相反，也就是说，你们确信我真是这么想的。无论如何，先生们，你们这两种看法我都将认为是给我的一种荣誉，并因此感到特别快乐。

当然，我和同事们的友谊没能保持多久，我很快就和他们吵翻了，而且由于当时年轻气盛，没有经验，甚至见了他们连招呼都不打了，就像是从此一刀两断了。不过，这种情况总共只出现过一次。总的来说，我一向都是孤身独处的。

在家里，首先我主要是读书。我试图用外来的感觉抑制住我内心中不断累积的愤懑。而对于我来说，外来的感觉只能来自阅读。阅读，当然对我大有助益——它使人心潮起伏，使人心花怒放，也使人痛苦不堪。不过，有时也使人感到乏味至极。我毕竟想活动活动，于是便突然陷入阴郁的、地下的、卑劣的状况之中——并非放荡，而是堕落。我的情欲由于我经常的、病态的愤懑而变得异常劲悍，十分炽烈。时常歇斯底里地发作，还伴随着热泪滚滚，浑身痉挛。除了阅读，我无处可去——也就是说，当时在我周围没有任何东西值得我尊重，也没有任何东西能够吸引我。此外，苦闷又日益深重，于是歇斯底里地渴望矛盾、对立，就这样，我便放纵自己荒淫起来。我现在絮絮叨叨说了这么多，可绝对不是在为自己辩解……然而，不！我在撒谎！我正是试图替自己辩解。先生们，我记下这些，是为自己立此存照。我不愿说谎。我做过保证。

　　我去荒淫时总是独自一人，偷偷摸摸、心惊胆战、卑鄙下流地趁着夜色，但羞耻之心即使在最丑恶的时刻也没有离开我，而且在这样的时刻甚至发展成为一种诅咒。早在当时，我心里就已经有了一个地下室。我惶惶不安，生怕一不小心被人看到，被人碰上，被人认出来。我于是专挑各种最为隐蔽的场所出入。

　　有一次，我在夜间路过一家小饭馆，透过灯光照亮的窗户，看见一群先生正在台球桌边挥舞着台球杆打架，其中的一位还被人从窗户里推了出来。要是在别的时候，我定会深感厌恶。可当时我却突然心血来潮，竟然羡慕起这位被推出窗外的先生来，甚至羡慕得走进这家小饭馆的台球室，心想："好啊，我也来打一架试试，就让他们也把我从窗户里推出去吧。"

　　我并未喝醉，可你们叫我怎么办吧——须知有时候苦闷竟能把人逼得歇斯底里大发作！然而什么事情都没有发生。结果是我既没有能力跳出窗户，也没有打架就往外走了。

　　在那里我刚一迈步，就有一个军官拦住了我。

　　我站在台球桌旁，而他正想从这里走过去，因此我无意中挡了他的道。他抓住我的双肩，一言不发——既不预先告知，也不做任何解释——就把我从原来站着的地方挪到了另一个地方，而他自己却旁若无人地走了过去。就连打我一顿，我原本都可以原谅的，可我怎么也不能原谅他把我挪了个地方，却又完全不把我放在眼里。

鬼才知道，我当时该怎样来挑起一场真正的、更为正规的争吵，一场更为体面也即更富文学性的争吵！别人对待我就像对待一只苍蝇。这个军官身高两俄尺十俄寸左右[1]，而我却是矮矬矬又瘦恹恹的。不过，是否争吵却完全取决于我：只要我提出抗议，当然，别人就会把我推出窗外。然而，我改变了主意，认为最好是……怒恨恨地溜之大吉。

我万般羞愧而又心慌意乱地离开小饭馆，径直回到家里，可第二天我又比以往更缩手缩脚、更畏首畏尾，也更郁郁寡欢地继续我的荒淫，眼里似乎满含着热泪——然而却依旧继续荒淫。不过，你们可不要认为，我是因为胆小才怕那个军官的：就天性而言，我从来不是胆小鬼，尽管事实上我常常胆小如鼠，可是——请你们等会儿再笑，我会对此加以解释，我会对一切都加以解释，请你们相信。

啊，如果这个军官是一个能同意跟我决斗的人那就好了！然而不，他刚好是这类先生（唉！这类先生早已绝迹人间了），他们宁可挥动台球杆奋力一击，或者像果戈理笔下的

1　一俄尺约等于0.71米，一俄寸约等于4.4厘米，因此这个军官的身高约1.86米。

皮罗戈夫那样——按上级的指令行事[1]。他们可不会参加决斗，而且认为跟我们老百姓、非军人决斗，无论如何是不体面的事情——甚至，一般而言，他们都认为决斗是某种不可思议、自由色彩浓厚、法兰西式的玩意儿，而他们却放肆地欺侮别人，特别是在他们乃是身高两俄尺十俄寸的彪形大汉的情况下。

我此时害怕并非由于胆小如鼠，而是漫无边际的虚荣心。我畏惧的并非他那两俄尺十俄寸的身高，也并非被痛打一顿并被扔出窗外。说实话，肉体上的勇敢，我还是足够多的。但精神上的勇敢却很不够。我害怕的是，一旦我提出抗议，并且温文尔雅地开始与他们理论时，在场的所有人，从那个恬不知耻的台球记分员一直到那个满身臭气熏人、脸上长满粉刺、衣领满是油腻、在这里阿谀献媚的最低级小官吏，都会大惑不解，并且嘲笑我。因为这是荣誉攸关之事，也就是说，并非关于荣誉本身，而是关于荣誉攸关之事（point d'honneur[2]），在我们这里迄今为止一直是不能用其他方式来谈论的，而只能用温文尔雅的语言来交谈。"荣誉攸

1　果戈理的短篇小说《涅瓦大街》（1835）中的人物，因调戏德国手艺人美丽的妻子遭到责打后，一度打算用最激烈的言辞向将军告发这些下等人的"暴行"，还想"向总参谋部递交一份呈文"。

2　法语，意为"荣誉攸关之事"。

关之事"是不能用日常普通语言来谈论的。我百分之百地相信（尽管我是彻头彻尾的浪漫主义，但毕竟还有那么点现实感），他们大家都只会笑痛肚子，而那个军官却绝不会只是简单地揍我一顿了事，也就是说，他绝不会不带恶意地揍我一顿，他肯定会用膝盖顶住我，并用这种方法推着我绕台球桌打转，直到后来他突发慈悲之心，才把我一把推出窗外。不消说，这件微不足道的小事对我来说是不可能就此风平浪静的。后来，我常常在街上遇见这位军官，并且一眼就清楚地认出他来，只是不知道他是否认出了我。也可能没有认出我来，我是根据某些迹象做出这种判断的。可是我，我呀——却是怀恨在心、横眉怒目地看着他，就这样持续了……好些年！我的憎恨甚至一年年越积越深，不断增强。起初，我悄悄地开始打听这个军官的情况。我这样做实属不易，因为我跟谁都不熟悉。然而有一次正当我就像拴在他身后似的远远尾随着他时，刚好有人在街上叫了一声他的姓氏，这样我就知道了他姓什么。另外一次，我跟踪他一直到他的住所，并且花了十戈比银币，从看门人那里打听到了他住在哪里、第几楼、是一人独居还是跟谁合住，等等。总而言之，打听到了能从看门人那里打听到的一切。有一天清晨，虽然我从未从事过文学创作，可是却突然心血来潮，打算以揭露的方式、漫画的手法和小说的形式来描写一下这个军官。我得意非凡地写着这篇小说。我肆意揭露，甚至不惜造谣中伤。起初我编造了一个姓氏，但又编造得让人一看就知道指的是谁，可是后来经过深思熟虑，又更换了姓氏，并把稿子寄给了《祖国纪事》[1]。然而，那时还不时兴揭露性的文章，因此我的小说未能发表。这使我怒火中烧。有时气涌如山，简直憋得我喘不过气来。最终，我下定决心向我的对手提出决斗。我就给他写了一封措辞优美、动人心弦的信，恳请他向我道歉。如若遭到拒绝，信上相当强硬地暗示将进行决斗。这封信写得如此出色，只要那位军官稍微懂得一点点"美与崇高"，那么他就一定会跑到我跟前来，搂住我的脖子，主动献出自己的友谊。这该是多么好啊！我们就会握手言欢！视为知己！"他会用他的显要地位来保护我；我则用我的良好修养来使他变得高尚，唔，还可以用……思想，以及许许多多其他可能有的好东西！"请你们想想看，那时距离他侮辱我已经过了两年，我的挑战实乃一种不成体统的过时举动，尽管我的信相当巧妙地对这一过时举动有所解释和掩饰。但是，感谢上帝（至今我仍热泪满眶地感谢至高无上的上帝），我没有把这封

1　1839—1884 年在彼得堡出版的文学和社会政治月刊。前期由安·亚·克拉耶夫斯基发行，别林斯基主持评论栏，主要撰稿人有莱蒙托夫、柯尔佐夫及稍晚的自然派——赫尔岑、涅克拉索夫、陀思妥耶夫斯基、屠格涅夫、格里戈罗维奇等。1846 别林斯基同克拉耶夫斯基决裂，评论栏改由瓦·迈科夫负责。此后逐渐带上学院派色彩。1868 年改由涅克拉索夫发行，观点转为激进，1884 年被查封。

信寄出去。一想到这封信寄出去会惹出多大的麻烦，我就不寒而栗。然而，突然间……突然间我以最简单、最天才的方式复了仇！我突然间灵光一闪，想出了一个高招。有时，在节假日，我常常在三点多钟到涅瓦大街走走，沿着向阳的一边散步。其实，我在那里完全不是散步，而是品味难以计数的痛苦、屈辱和愤怒，但这些大概也正是我所需要的。我像条泥鳅，以最不雅观的方式，在行人中匆匆忙忙地闪来闪去，不停地给人让路，一会儿是将军们，一会儿是近卫骑兵和骠骑兵的军官们，一会儿是太太们。在这一时刻，只要一想到我衣着寒酸，一想到我匆忙地闪来闪去的寒酸相和鄙俗样子，我就会感到心痛如绞、背灼似烤。这是一种莫此为甚的痛苦，一种绵绵不断、无法忍受的屈辱，产生这一痛苦和屈辱的是一种思想，这思想正在变成一种无止无休的、直接的感觉，感到我在这整个世界面前只不过是一只苍蝇，一只肮里肮脏、有伤风化的苍蝇——它比所有人都更聪明，比所有人都更有教养，比所有人都更高尚——这早已是不言自明的，然而，却也是一只连续不断地给所有人让路，受尽了所有人侮辱、所有人损害的苍蝇。我为什么要把自己弄得如此痛苦，我为什么要到涅瓦大街去闲逛呢——难道我不知道吗？可是，只要一有可能，我总是情不自禁地拔腿就往那里走去。

那时，我就已经开始体会到我在第一章里曾经谈到的那种如潮快感。而自从发生了与军官之间的那件事后，我就更不由自主地被吸引到那里去了：在涅瓦大街上我能最为经常地碰到他，在那里我也能最好地欣赏他。他也大多是节假日到那里去。在将军们和大官们面前，他虽然也要让路，而且也得像泥鳅那样在他们中间闪来闪去，可是碰到我们这号兄弟，或者甚至比我们这号兄弟更有地位的人，他却简直目中无人。他径直大踏步冲将过来，仿佛他面前就是一片空无一人的空间，无论如何也不会让路。我切齿痛恨，紧盯着他，并且……每次遇到他都怒悻悻地给他让路。我深感痛苦的是，即便在大街上，我也总是无法跟他处于平等的地位。"为什么你一定要先给他闪身让路呢？"有时，夜里两三点钟醒来，在疯狂的歇斯底里发作中，我苦苦追问自己。"为什么正好是你，而不是他呢？要知道，对此并没有法律规定，要知道，这在哪里都没有明文规定啊！以后可就半斤八两，平等对待，一如彬彬有礼的人们彼此相遇时通常所做的那样：他让出一半路，你也让出一半路，你们相互尊重，也就各自走过去了。"但根本不是这样，而且照旧是我闪身让路，而他甚至都没有发现我给他让了路。于是，突然一个最为奇特的想法萌生在心头。"啊，"我心想，"如果我和他劈面相逢，却……偏不给他让路，那又会怎样呢？故意不给他让路，哪怕即便把他撞开也不让路。啊，这又会怎样呢？"这个大胆的想法渐渐控制了我，使我坐卧不宁。我一刻不停、极其狂热地寻思着这事，而且故意更为频繁地到涅瓦大街去，以便设想得更加清楚明白，这件事我该怎样去做，在什么时候做。我得意扬扬。我越来越感觉到，这个主意既能行之有效，又会马到成功。"当然，不拼命撞他，"我心想，由于满心高兴早已心软了，"而是这样，仅仅是不让到一边，撞他一下，但又不要撞得太厉害，而只是肩膀碰着肩膀，刚好控制在合乎礼貌的范围之内；这样，他撞我多重，我也就撞他多重。"最后，我终于下定了决心。然而，准备工作却花去了很多的时间。首先，在实施行动的时候，需要更优雅得体的仪表，因此得关心一下服饰打扮。"为以防万一，譬如说，发生了公众围观事件（而这里的公众可都是superflu[1]：有伯爵夫人途经此处，有Ⅱ公爵途经此处，还有文学界的文人才子途经此处），必须衣着入时。这会使人相信，并使我们在上流社会的心目中直接处于某种彼此平等的地位。"为了这一目的，我申请预支了一笔薪水，在丘尔金商店买了一双黑手套和一顶相当体面的帽子。我觉得黑色手套比我起初想买的柠檬色手套更加庄重，也更加 bon ton[2]。"颜色太刺眼，就会使人感到似乎

---

[1] 法文，原意为"多余的""无用的"，此处意为"高雅的""尽善尽美的"，是仿果戈理《死魂灵》中罗士特莱夫庸风雅的牵强附会用法。

[2] 法文，意为"高雅""有风度""有气派"。

过于招摇了",因此我没买柠檬色的。一件缀着白色骨制纽扣的考究衬衫，我早已预备停当。然而，外套却耽搁了我很长时间。我的那件外套本来就很不错，穿起来暖融融的，可是，它是棉制的，只有领子是浣熊皮的，这可就显得过于寒酸了。无论如何，必须换一个领子，换成假獭绒的，就像军官们身上的那样。为此我一再跑到劝业场[1]，几经挑选，终于挑中了一块价格便宜的德国假獭绒。这种德国假獭绒虽然很容易穿坏，而且样子会变得十分难看，但最初刚缝上去的时候，它看上去甚至还十分气派，而我本来只需用它派一次用场就足够了。我问了一下价格，还是太贵了。经过慎重考虑，我决定先卖掉我的浣熊皮领子。不足的钱款对于我来说依旧是一笔相当大的数目，我决定向我的科长安东·安东内奇·谢托奇金借钱，他温文尔雅，为人正派，办事一丝不苟，从不借钱给任何人，不过在我刚来就职的时候，给我指定工作的那位要人曾特别向他介绍过我。我痛苦不堪。找安东·安东内奇借钱，我感到既荒谬绝伦，更无地自容。我甚至有两三天都无法入眠，何况在当时我本来就睡眠很少，我正患着寒热病；我的心脏似乎在迷迷蒙蒙中停止了跳动，或者突然间怦、怦、怦地剧烈跳动！……安东·安东内奇起初深感讶异，

接着皱起眉头，后来考虑了一会儿，终于还是把钱借给了我，他让我立了借据，注明两个星期后从薪水中扣除。这样，一切终于齐备了。美佳佳的假獭绒代替了脏兮兮的浣熊皮，于是我开始慢慢着手行动。不能一上场就断然行动，那只会徒劳无功。这件事必须巧加安排，做得到位，恰恰应该慢慢慢慢进行。但我得承认，历经多次尝试之后，我甚至都开始绝望了：我们无论怎样也无法相互撞起来——每次都是如此！难道我没有精心准备吗？难道我没有下定决心吗？——眼看着我们马上就要撞上了，可我一看——又是我闪身让开了路，而他竟自走过去了，根本没有注意到我。当我走近他时，我甚至默默祈祷，请求上帝让我痛下决心。有一次，我总算横下心来，可结果却只是我倒在了他的脚边，因为在最后一瞬间，就在相隔仅两俄寸距离的时候，我却陡地泄了气。他神色不惊地从我身上跨了过去，而我则像一只小球一般滚到了一边。就在这一夜，我又发起了寒热病，并且梦呓连连。可是忽然间，这一切却好得不能再好地解决了。头天夜里，我已断然决定放弃我那害人不浅的计划，就让这一切不了了之吧，于是我怀着这个目的最后一次来到涅瓦大街，只是想看看——我到底怎样让这一切不了了之的呢？突然，就在离我的冤家对头三步远的地方，我出乎意外地下定了决心，我眯起眼睛，于是——我们肩膀碰肩膀，扎扎实实地撞了一下！我分毫不让，而且以完全平等的身份扬长走过! 他甚至都没有回头看上一眼，装作毫无察觉。但他只不过是在装样子，我对此深信不疑。我至今仍对此深信不疑! 当然，我吃亏更多些，他远比我强壮，但问题不在这里。问题在于，我达到了目的，维护了尊严，一步也没有退让，在大庭广众之下使自己与他处于完全平等的社会地位。我回到家里，深感大仇已报。我欣喜若狂。我得意扬扬，唱起了意大利咏叹调。当然，我不会向你们描述三天后我发生的那件事情。如果你们读过我写的第一章《地下室》，那你们自己也能猜得出来。那位军官后来被调到某个地方去了，至今我已有十四年左右没有见过他了。他，我的小鸽子，现在怎么样呢? 他又在欺压谁呢?

/ 二 /

　　然而，我的荒淫时期结束了，于是我就感到非常腻烦。我
深感悔恨，并不断赶走悔恨：它太令人恶心了。可是，渐渐渐渐
地我竟对它习惯了。我也习惯了一切，其实也不是什么习惯，而
似乎倒是一种心甘情愿的同意承受。不过，我有一个能容忍一切
的法子，那就是——躲进"一切美与崇高"之中，当然，是在幻
想中。我放肆幻想，躲进自己的角落里一连幻想了三个月，请你
们相信，在这样的时刻，我就与那位缩手缩脚、心慌意乱、把
德国假獭绒缝在自己外套的领子上的先生判然有别了。我突然成
了英雄。当时即便那位身高两俄尺十俄寸的中尉前来登门拜访，
我也会让他吃闭门羹。我当时甚至都已忘记了他的模样。我的幻
想到底有多美妙，我又怎么会深深陶醉于其中——对此现在已
很难说清了，可当时我确实深深陶醉于其中。其实，我直到现在
还依旧多多少少陶醉于其中。每次荒淫之后，我的幻想便变得分
外甜蜜、特别强劲，同时夹杂着丝丝悔恨和滴滴热泪，夹杂着
声声诅咒和阵阵狂喜。常常会有那样一些地地道道的狂喜的瞬
间，和那样一些幸福盈溢的瞬间，以至于我内心中甚至连一丝
嘲笑都感觉不到，确实如此。有了信仰，有了希望，有了爱[1]。也

1　此处化用了《圣经·新约·哥林多前书》第十三章第十三节："如今常存的有
信，有望，有爱；这三样，其中最大的是爱。"

就是说，我当时盲目地相信，会出现某种奇迹，出现某种外来的力量，突然把这一切都拉长、扩大；那有益的、美好的而更重要的是完全现成的（到底是什么样的——我从来都不清楚，但主要的是，完全现成的）活动天地将突然呈现在眼前，于是我立即出人意料地降临尘世，几乎是身骑白马，头戴桂冠。次要的角色我根本不放在眼里，因此我在现实生活中心安理得地甘居最末位。不是英雄，便是尘垢，中间状态是绝不可能存在的。这可把我害惨了，因为当我置身尘垢中时，我总宽慰自己，他日我定会是英雄，而英雄可以用自己的高大遮掩尘垢：据说，一个普通人会因为沾上了尘垢而感到羞耻，而英雄则因为太过高大，不至于完全被尘垢玷污，所以沾上点尘垢也无伤大雅。饶有趣味的是，这"一切美与崇高"的热潮，往往既在我荒淫的时候涌上心头，又正当我身处最底层的时候闯入心里，以其零零星星的闪光，似乎在提醒别人记住它们，然而，它们并不是以自己的出现来消除荒淫；恰恰相反，它们仿佛在以二者的反差对荒淫火上浇油，而且其出现的劲道也恰到好处，正好是最佳调味品所需要的劲道。这种调味品是由矛盾和苦难，以及痛苦的心理分析构成的，而所有这些烦恼和痛苦却赋予我的荒淫某种冲劲，甚至使我的荒淫具有了某种意义，一句话，它们起到了最佳调味品的最佳作用。所有这一切甚至不无某种深蕴。我怎能自甘于这种简单的、庸俗的、本能的、抄写员之流的荒淫，并让所有这些尘垢吞噬自己呢！在此情况下，又有什么能迷醉我，使我深夜跑到大街上去呢？不，我自有高尚的脱身术摆脱这一切……

然而，在我所有的这些幻想中，在这些"对一切美与崇高的追求"中，我曾体验到多少的爱呀，上帝啊，多少的爱呀！虽然只是一种幻想的爱，虽然事实上这爱从未运用于人类的任何事物，但是这爱是如此丰裕，以致到后来事实上反倒觉得没有运用它的必要了：这爱已经成为多余的奢侈品。不过，这一切总是十分圆满地以懒洋洋、醉迷迷地转变成艺术而告结束，也就是说，转变成完全现成的、美的存在形式，而这是从诗人和小说家那里极力剽窃来的，并能适应一切公共事业和个人需求。比方说，我战胜了所有的人；所有的人当然也就心如死灰，并且不得不心甘情愿地承认我所有的优良品德，而我也就宽恕了他们大家。我成了杰出的诗人和宫廷高级侍从，我恋爱了；我获得了不计其数的财富，并立刻把它们全都分赠给人类[1]，且当众忏悔自己的那些可耻行径，当然，也不完全都是可耻行径，其中也包含有许许多多

---

[1] 《少年》中的主人公阿尔卡季后来发展了"地下室人"的这一思想，他希望获取百万家财，然后把它们全部分赠给人们，详见《少年》第一部第五章第三节。

"美与崇高"，某种曼弗雷德[1]式的东西。所有的人都热泪满眶，扑过来亲吻我（要不，他们怎么会是笨蛋呢？），而我光着双脚、饿着肚子去宣传新思想，并在奥斯特里茨[2]打垮了顽固派。接着，便奏起凯旋曲，颁布大赦令，教皇同意离开罗马去往巴西[3]；接着，便在鲍尔盖兹别墅[4]为全意大利人举行舞会，别墅就坐落在科莫湖[5]畔，因为科莫湖为了此次盛会特意挪到了罗马；接着，便是灌木林里的活剧，等等，等等——你们似乎都不知道？你们会说，在我自己亲口承认的那么多陶醉和眼泪之后，现在再把这一切拿出来大肆兜售，这真是

1　曼弗雷德是英国诗人拜伦（1788—1824）同名哲理诗剧《曼弗雷德》（1817）中的主人公，也是一位典型的"拜伦式英雄"，他离群索居，遁世独立，孤独而高傲，并且有一种"世界性的悲哀"。

2　旧属奥地利，是个村名，现为捷克的斯拉夫科夫市。1805年12月2日拿破仑曾在此以73000法军（实际参战65000人）大败86000俄奥联军——联军损失超过27000人，其中15000人战死，超过10000人被俘，法军仅1350人阵亡，6940人受伤。

3　教皇，指1800年担任教皇的庇护七世（1742—1823），原名巴尔纳巴·尼可罗·玛丽亚·路易·基亚拉蒙蒂，他曾在1804年为拿破仑一世举行加冕礼。后与拿破仑发生冲突，拿破仑于1809年被他宣布逐出教门，而他则实际上沦为拿破仑的囚徒。1814年拿破仑被盟军打败后，他返回罗马，锐意改革，使罗马教廷及天主教会出现复兴。

4　鲍尔盖兹别墅是一所建于18世纪上半叶，有着喷泉、雕塑的美丽建筑，后因属拿破仑的妹夫米洛·鲍尔盖兹而得名。1806年8月15日，曾在这里举行庆祝法兰西帝国成立的庆典，这一天也是拿破仑一世的生日。

5　是意大利著名风景区，属意大利北部的伦巴第区，位于阿尔卑斯山南麓的一个盆地中，长31公里，宽5公里，面积145平方公里，湖面海拔约200米，最深处深达410米，是一个东北高、西南低的狭长形湖泊，南距米兰40公里，以自然景色优美著称，湖滨建有许多华丽的别墅、公园，沿湖一带为旅游胜地。

俗不可耐，厚颜无耻。为什么就厚颜无耻呢？难道你们认为，我会对所有这一切感到羞愧吗？难道所有这一切会比你们这些先生们生活中的随便什么事情都更愚蠢吗？而且，还要请你们相信，我的有些想法还是挺不错的……毕竟并非所有的事情都发生在科莫湖畔嘛。不过，你们说得也对：的确，既俗不可耐，又厚颜无耻。而最为厚颜无耻的是，我现在竟在你们面前开始为自己辩护。不过，够了，否则的话，就会永远没完没了了：总是一个比另一个更厚颜无耻……

足足有三个多月，我怎么也无法再接连不断地幻想下去，并开始产生了一种不可遏制的融入社会的需求。融入社会，对我来说，就意味着去我的科长安东·安东内奇·谢托奇金家做客。这是我整个一生中唯一一位一直交往的熟人，现在连我自己都为这种情况而大吃一惊。但是，只有当我兴会淋漓，而我的幻想又达到幸福至极的境界，因而非得立刻与人们乃至整个人类拥抱的时候，我才会去他家里。但为了拥抱，至少必须有一个人，一个活生生的人在场。不过，要去安东·安东内奇家必须在星期二（他规定的日子），因此，与整个人类拥抱的需求就必须总得抢在星期二进行。这位安东·安东内奇家居五角地[1]，住在四楼，有四个房间，低矮、窄

---

1 在彼得堡，颇为热闹，有三条街巷和一条出城的马路在此交会。

小，一间更甚一间，看样子别无长物，十分清苦。他有两个女儿，还有女儿们的一位姑妈，她专管端茶倒水之类事情。两个女儿——一个十三岁，另一个十四岁，两人都有点儿翘鼻子，我在她们面前总是窘困不堪，因为她们老是窃窃私语，嗤嗤暗笑。主人总是待在书房里，坐在一张皮沙发上，面对着书桌，跟一位满头白发的客人坐在一起，这是我们部门或者甚至就是其他部门的一位官员。除了这两三位客人，而且总是这两三位常客以外，我在那里从未见过别的来客。他们高谈阔论着消费税、枢密院里的交易、薪水、官场升迁、上司大人、获取上司欢心的诀窍，等等，等等。我不厌其烦地傻瓜般陪坐在这些人身边，连续四五个小时恭听他们谈天说地，自己却不敢也不会插上一言半语。我在那里坐得全身麻木，好几次都浑身淌汗，几乎麻痹瘫痪了，但这也大有好处，而且益处多多。回到家里，我会有好一阵子把拥抱整个人类的愿望束之高阁。

　　不过，我似乎还有一个熟人，他叫西蒙诺夫，是我中学时代的同学。我的中学同学好像有很多就在彼得堡，但我从不与他们往来，而且即便在大街上劈面相逢也互相不打招呼。就连我转到别的部门去工作，兴许就是为了不跟他们搅在一起，并且与我那整个可恨的童年从此一刀两断。我诅咒那所中学，诅咒那可怕的、苦役般的岁月！总之，我一出学校获得自由，就马上与同学们分道扬镳。只有两三个同学，我们劈面相逢时还打打招呼。其中就有西蒙诺夫，他在我们学校里没有丝毫出众之处，处事稳重，性格温静，不过，我却发现了他性格中的某种独立性，甚至是刚正不阿。我甚至不认为他真是个酒囊饭袋。我跟他曾有过一段相交莫逆的辉煌时刻，但好景不长，不知何故突然蒙上了一层迷雾。他显然为这段回忆而感到苦恼，而且似乎总在担心我旧事重提。我怀疑他对我深恶痛绝，但我依旧常常去看他，因为我尚未确知他是否真的对我深恶痛绝。

于是，有一次，在星期四，我忍受不了孤独，并且知道星期四安东·安东内奇杜门谢客，于是我想起了西蒙诺夫。我爬上四楼去他的住所的时候，正好想到的是，这位先生会因我而深感苦恼，我走这一趟纯属多余。然而，这类想法的结果往往是似乎故意更有加无已地使我钻进进退两难的窘境，因此我就推门进去了。在此以前，从我最后一次见到西蒙诺夫至今，差不多已经过去一年了。

/ 三 /

在他家里，我还碰见了我的另外两位中学同学。看来，他们正在谈论一件极其重要的事情。对于我的到来，他们没有一个人表现出任何注意，这简直令人讶异，因为我跟他们已经多年未曾谋面了。显而易见，他们把我看成一只最平淡无奇的苍蝇了。即便当年在学校里他们也不曾如此蔑视我，虽说学校里所有的人都憎恨我。我当然明白，他们必定蔑视我，因为我仕途失意，也因为我极其穷困潦倒、衣着十分寒酸，等等——这一切在他们眼中成为我碌碌无能和微不足道的标志。不过，我还是没有料到他们竟会蔑视我到如此地步。西蒙诺夫甚至对我的到来感到惊异。他以前也似乎总是对我的到来感到惊异。所有这一切搞得我十分难堪。我有点愁眉不展地坐了下来，开始听他们在说些什么。

他们正在郑重其事甚至颇为热烈地谈论一次送别宴会，这些先生准备明天一起为一位即将到外省去当军官的同学兹维尔科夫饯行。兹维尔科夫先生也一直是我的同学。从高年级起，我就开始对他恨之入骨。在低年级时，他还仅仅是个人见人爱的漂亮而机灵的小男孩。然而，还在低年级时我就恨他，而且恰恰因为他是一个漂亮而机灵的小男孩。他的学习成绩一直很差，而且越学越差；但他却顺利地毕了业，因为他有靠山。在我们学校的最后一年里，他获得了一笔遗产，足足有两百名农奴，可因为我们大家几乎都穷兮兮的，因而他竟在我们面前炫起富来。这是一个鄙俗到极点的庸人，但又不失为一个心地善良的小伙子，即便他在炫富的时候也是如此。而我们这些人，虽然经常奢谈虚有其表、凭空臆造、夸夸其谈的正直和尊严，但除了极少数几个人外，所有人都在向兹维尔科夫阿谀奉迎，于是他就更加趾高气扬了。我们阿谀奉迎他倒并非奢望得到什么好处，而是因为他天赋奇才、聪颖灵秀。而且不知何故我们当时总把兹维尔科夫看作八面玲珑、风雅时尚的行家里手。后面这一点尤其使我怒火中烧。我憎恨他那尖锐刺耳、自命不凡的声音，我憎恨他那自鸣得意的俏皮话，其实他说的俏皮话非常愚蠢，尽管他口无遮拦且舌灿莲花；我憎恨他那张俊生生而又有点傻乎乎的脸蛋（不过我倒乐意用我这张聪明的脸蛋和他交换）和40年代那种无所顾忌的军官作风。我憎恨他大谈特谈自己将来征服女人的赫赫功绩（他还不敢追花猎艳，他还没得到军官肩章，他正迫不及待地渴盼着那肩章）；也憎恨他时时刻刻准备着与人决斗。我记得，有一次在课余时间，一向沉默寡言的我却突然跟兹维尔科夫争吵起来，因为他和同学们神侃未来的风流韵事，最后竟像太阳下的小狗那样神气地突然宣称，自己村子里的任何一个乡下姑娘他都不会放过，并说这叫 droit de seigneur[1]，假若庄稼汉们胆敢不从的话，他就将用鞭子狠狠抽打他们大家，并且让他们所有这些大胡子无赖加倍交租。我们的一些下流同学为他拍手叫好，我却同他干起仗来，这倒完全不是因为怜悯那乡下姑娘和她们的父亲，而仅仅是因为他们竟然为这样一个小虫豸拍手叫好。我当时大获全胜，不过兹维尔科夫虽然蠢笨，但却天性乐观，而且豪放不羁，居然只是付诸一笑，因此，说实话，我并未大获全胜：笑声留在了他那一方。后来，他又好几次战胜了我，但毫无恶意，而只是随随便便、嘻嘻哈哈地开个玩笑。我满怀愤恨，轻蔑地不搭理他。毕业后，他曾主动接近我，我并不十分反对，因为这使我的自尊心得到了满足。但很快我们就很自然地各奔前程了。后来，我听说他已升为中尉，在部队里颇有成就，还听说他开始花天酒地。后来，又听到另一些传闻，说他在部队里官运亨通。在街上劈面相遇时他已经不再跟我打招呼了，于是我怀疑，他是怕与我这样一个微不足道的小人物打招呼会有损他的名声。还有一次，我在剧院里见到了他，他坐在三楼的包厢里，肩上已经佩戴着穗带[2]了。他正在向一位老将

---

1 法文，意为"初夜权"或"领主权"。这是中世纪的一种封建习俗，它规定：新婚的女农奴必须与自己的主人（领主）过新婚第一夜。

2 从1762年开始，俄国规定：总参谋部的将官、校官和尉官、副官、军事地形测绘员、宪兵、机要信差以及某些龙骑兵团、胸甲骑兵团、火枪营和掷弹营的人员，均佩戴穗带。此处指兹维尔科夫至少已经是尉官以上的军官了。

军的几个女儿胁肩谄笑，大献殷勤。三年来他已经变得很是邋里邋遢了，虽然还像以前那样十分漂亮、八面玲珑，但有点虚胖，开始发福了。显然，他到三十岁时就会浑身发福。我的同学准备为之设宴饯行的就是这么一个终于将离开这里的兹维尔科夫。三年来他们一直跟他常来常往，尽管他们在内心深处并不认为自己可以和他平起平坐，对此我深信不疑。

西蒙诺夫的两位客人中，有一位叫费尔菲奇金，是一个德裔俄国人——身材矮小，尖嘴猴腮，是个对谁都嘲弄的蠢货，从低年级起他就是我切齿痛恨的敌人——一个厚颜无耻、粗鲁不堪、爱吹牛皮的家伙，总是摆出一副不可一世的样子，其实，他骨子里胆小如鼠，这是一目了然的。他是兹维尔科夫的崇拜者之一。这些崇拜者别有用心地阿谀兹维尔科夫，并且常常向他借钱。西蒙诺夫的另一位客人叫特鲁多柳博夫，是个无名小卒，一个青年军人，高挑挑的个子，冷冰冰的面孔，为人相当老实，但他仰慕一切功名，总是只谈官场升迁。他是兹维尔科夫的一个什么远房亲戚，就凭这一点，说来也可笑，竟使他在我们中间赢得了某种地位。他从来没把我当一回事；对我的态度虽然不是十分客气，但也马马虎虎过得去。

"就这样吧，每人七个卢布，"特鲁多柳博夫开口道，"我们三个人，那就有二十一卢布了，完全可以饱餐一顿了。兹维尔科夫当然不用出钱。"

"那是自然，既然是我们请他。"西蒙诺夫肯定地说。

"莫非你们竟以为，"费尔菲奇金神气活现、热情似火地
插嘴道，活像一个无耻的奴仆在夸耀自己的将军老爷的星章
一样，"莫非你们真以为，兹维尔科夫会只让我们买单吗？出
于礼貌他会接受邀请，不过，他自己会买上半打酒的。"

"啊呀，我们四个人哪能喝得了半打酒啊。"特鲁多柳博
夫提醒道，他只注意到了半打酒。

"那就这样了，我们三个人，加上兹维尔科夫共四个人，
二十一卢布，去Hôtel de Paris[1]，明天五点。"被推举为主管的
西蒙诺夫最后一锤定音。

"怎么只是二十一卢布呢？"我有点激动地说，甚至显得
受了委屈似的，"如果算上我一份，那可就并非二十一卢布，
而是二十八卢布了。"

我觉得，如此突如其来、出其不意地端出自己，真是做
得漂亮至极，他们大家都会猛地败下阵去，对我另眼相看，
顿生敬意。

"难道您也想参加？"西蒙诺夫不满地说，似乎在躲避
我的目光。他把我都摸透了。

1　法文，意为"巴黎饭店"。

他对我了解得一清二楚，这使我怒不可遏。

"为什么就不？我可好像也是同学哪，老实说，你们撇开我，这甚至使人感到愤怒！"我又激动起来。

"可到哪里去找您呢？"费尔菲奇金粗暴地插嘴道。

"您跟兹维尔科夫一向凿枘不合呀。"特鲁多柳博夫皱起眉头补充道。但我已经抓住了这事，也就不再放手。

"我认为，对于这件事谁都没有权力妄加评议，"我声音发抖地反驳道，仿佛发生了什么大事似的，"也许正是因为过去凿枘不合，我现在更想参加。"

"哈，谁又能理解您的……这种高风雅量……"特鲁多柳博夫冷笑一声。

"您也算一个，"西蒙诺夫转身向我，并作出了决定，"明天五点，在 Hôtel de Paris，别搞错了。"

"那钱呢？"费尔菲奇金朝我这边点了点头，轻声对西蒙诺夫说，但刚说出口就停住了，因为就连西蒙诺夫都感到不好意思了。

"行了，"特鲁多柳博夫说着，站起身来，"既然他这样如饥似渴地想参加，那就让他参加吧。"

"可您要知道，我们本只是朋友间小圈子聚会，"费尔菲奇金怒冲冲地说，也拿起了帽子，"这可不是官方会议。我们也许压根儿不希望您……"

他们走了。费尔菲奇金离去的时候，根本没向我打招呼，特鲁多柳博夫微微点了一下头，但没看我。我跟西蒙诺夫留在屋里，四目相对，他怅然若失、犹豫不决，奇怪地看着我。他没有坐下，也没有请我坐。

"咳……好呀……那就明天。那钱您现在交吗？我这是为了心里有底。"他窘困地嘟嘟囔囔着。

我猛地怒火中烧，可就在怒火中烧的同时，突然想起，在很久以前，曾从西蒙诺夫那里借过十五卢布，不过，这笔债我从未忘记，可也从未还给他。

"您也知道，西蒙诺夫，我来这里的时候不可能知道……十分抱歉，我忘了……"

"好，好，没关系。明天吃饭的时候再交吧。我本来只是想知道……请您……"

他刹住话头，开始懊恼不堪地在房间里走来走去。在走的过程中，他不时用脚跟着地，这样一来，脚步声就更响了。

"我没耽误您吧？"沉默了两分钟后，我问道。

"哦，没有！"他猝然惊醒，"不过，说实话，真耽误了。您瞧，我还得串个门……离这里不远……"他用略带歉意的声调补充道，多少有点不好意思。

"啊呀，我的上帝！那您干吗不——早——说呢！"我抓起帽子，高喊起来，不过，是一副非常随意的姿态，天知道

91

这副姿态是从哪里冒出来的。

"那地方并不远……离这里就几步路……"西蒙诺夫一边送我到前厅，一边重复道，摆出一副手忙脚乱的架势，而这跟他的天性完全不相称。"就这样，明天五点整！"他在楼梯上朝我喊道。我走了，他可真是满心欢喜，而我却简直气疯了。

"竟然这么鬼使神差，这么鬼使神差地自己跳出来！"我走在大街上，咬牙切齿地思量着，"而且是给这么一个下流坏，这么一个小猪猡兹维尔科夫送行！当然，不应该去！当然，应该弃如敝屣！难道我跟他有什么情谊？明天我就到市邮局发信通知西蒙诺夫……"

可是，我之所以气冲斗牛，恰恰是因为我丁一确二地知道，我肯定会去，故意要去，而且越是不明智，越是不体面，我就越是要去。

而且，甚至还有不能前去的实实在在的障碍：没有钱。我手头总共只剩下九个卢布。但其中的七个卢布明天得作为月薪付给我的仆人阿波罗，他住在我家，自己管饭，每月得七个卢布工钱。

依照阿波罗的性格来看，不付工钱是不行的。然而，关于这个坏蛋，关于我的这个祸害，以后再慢慢谈。

不过，我实在心知肚明，我终究不会付给他工钱，而一定会去饯行的。

　　这天夜里，我做了一些极其稀奇古怪的梦。这没什么可奇怪的：整个晚上我都深深陷入学生时代苦役般生活的回忆中，怎么也无法从中挣脱。把我硬塞进这所学校的，是我的几个远房亲戚，我曾依靠他们抚养，但从我入学起，他们就完全淡出我的印象了——当时，他们将一个孤苦伶仃、已被他们责骂得几成废物，但已经能够思考、对一切都能默默无言、别具只眼地观察的孤儿硬塞进了这所学校。同学们用满怀恶意、残酷无情的嘲笑迎接我，因为我与他们中间的任何一个人都不相似。但我无法忍受他们的嘲笑，我无法轻易地与他们和睦相处，无法像他们那样彼此合群。我从一开始就憎恨他们，我离群索居，顾影自怜，保持着一种战战兢兢、饱受屈辱、异乎寻常的高傲。他们的粗蛮无礼令我怒发冲冠。他们厚颜无耻地嘲笑我的面孔，嘲笑我矮墩墩的身材，而他们自己的长相却是多么蠢笨啊！在我们学校里，面部表情不知怎么会变得特别愚蠢和极易走样。有多少面容俊秀的孩子进了我们学校。几年之后，他们就一个个都变得面目可憎了。早在十六岁时，我就郁郁寡欢地对他们感到讶异：那时他们的鼠目寸光，他们行事、娱乐、谈吐的愚蠢，就已经使我大吃一惊了。他们连最必不可少的东西都不懂，对那些振聋发聩、激动人心的事物毫无兴趣，因此我不由自主地认为自己远比他们高明。并非受了损害的虚荣心迫使我这样去想，看在上帝的分儿上，请你们千万别用令人作呕的官腔滥调来反驳我，说什么：我只会白日做梦，而他们当时就已经懂得现实生活了。他们什么都不懂，对现实生活一无所知，我敢发誓，正是这一点使我对他们万分愤慨。恰恰相反，他们对于最显而易见、最引人注目的现实，却以荒谬绝伦的愚不可及来加以接受，而且他们在当时就已习惯于只崇拜成功了。对正义但却惨遭侮辱和迫害的一切，他们都铁石心肠、恬不知耻地一概加以嘲笑。他们把官衔尊崇为智慧；才十六岁就把各种肥缺美差挂在嘴边了。当然，这大多是因为他们蒙昧无知，因为他们童年和少年时代环绕身边、耳濡目染的坏榜样。他们放荡不羁，达到了极其反常的程度。当然，这也大多是表面现象，而更多的是故意装出来的厚颜无耻。当然，即使在放荡不羁时，他们身上也会不时闪现出青春之光和某种蓬勃朝气。不过，即使他们身上的蓬勃朝气也缺乏吸引力，而表现为恣意妄为。我对他们深恶痛绝，虽然我也许比他们更坏。他们也以其人之道还治其人之身，毫不掩饰自己对我的极端厌恶。但我早已不指望赢得他们的友爱了。相反，我总是渴望受到他们的侮辱。为了摆脱他们的嘲笑，我有意开始尽我所能更好地学习，并终于在同学中名列前茅。这使他们大为震撼。这也使他们大家都开始慢慢明白，我早已在阅读他们视为畏途的书籍，并且懂得了他们闻所未闻的知识（这些知识并未列入我们的专业课程）。他们惊异莫名而又颇为嘲笑地看待这件事，但精神上却心悦诚服，何况连教师们也对我青眼相加。嘲笑停止了，但敌意依旧存在，形成了一种冷冷冰冰、紧张兮兮的关系。最终，我自己无法忍受了：随着年龄的增长，与人交往、获得友谊的需求也越来越强烈了。我开始试着接近某些人，可这种接近总是显得很不自然，因此也就自然而然地无疾而终了。有那么一次，我也曾有过一个朋友。但我在精神上已成为暴君，我试图无所不包地控制他的心灵，我试图给他灌输蔑视其周围的人的思想，我要求他同周围的人高傲地彻底一刀两断。我这狂热的友谊使他不寒而栗。我把他搞得眼泪潸潸、浑身发颤。他是一个天真幼稚而又肝胆涂地的人。但当他对我完全唯命是听的时候，我却立即开始憎恶他，并把他推开——仿佛我之所以需要他，只是为了征服他，只是为了使他奉令承教。然而我却无法征服所有的人；我的朋友也同样与他们中间的任何一个人都不相似，是一个极为罕见的例外。我毕业离校后的第一件事，就是放弃分派给我的那个专业职务，以便斩断一切瓜葛，诅咒过去，并让它灰飞烟灭……只有鬼才知道，在这一切之后，我竟又慢慢走近了这个西蒙诺夫！……

清晨，我早早地翻身起床，情不自禁地一跃跳下床，仿佛所有这一切马上就要开始实现了似的。但我相信，我生命中的某个根本性的转折正在降临，而且必定在今天降临。也许是不习惯的原因吧，反正在我整个一生中，每当碰到个外部的、哪怕是最琐细的小事，我也总是感到，我生命中的某个根本性转折马上就要降临了。不过，我仍一如既往地出门上班，只是提前两个小时溜回家中，做点准备。我心想，主要的是，我不能第一个到场，否则他们会认为我真是受宠若惊。然而，诸如此类的主要事情千千万万，搞得我心乱如麻，无法应付。我亲手再次把我的靴子擦了一遍。阿波罗在一天之内无论如何也不会擦两遍靴子，他认为这不合规矩。我就自己擦，我从前厅把鞋刷偷出来，以免被他看见，往后瞧不起我。随后，我仔细检查了我的衣服，发现全都破旧不堪，肮里肮脏。我真是太邋里邋遢了。制服也许还马马虎虎，但我总不能身穿制服去赴宴吧。而最主要的还是裤子，恰恰就在膝盖正中有一大块黄色污渍。我预感到，光是这块污渍就会把我的尊严减去十分之九。我也知道，我这样想实在是俗不可耐。"然而，现在并非思前想后的时候，现在面对的是实际情况。"想到这里，我就泄了气。就在当时我也相当清楚地知道，这些事实被我夸大到了触目惊心的地步。但是，有什么办法呢？我已经无法控制自己，浑身忽冷忽热地阵阵哆嗦。我绝望地想象，这个"下流坯"兹维尔科夫将会怎样盛气凌人、冷若冰霜地迎接我；笨蛋特鲁多柳博夫将会怎样带着冥顽不灵、无法抵抗的蔑视望着我；小虫豸费尔菲奇金将会怎样寡廉鲜耻、丧心病狂地嘲笑我，以讨好兹维尔科夫；而西蒙诺夫将会怎样对这一切洞若观火，并且鄙视我卑劣的爱慕虚荣、畏首畏尾；而最主要的是——所有这一切都将是多么微不足道，多么缺乏文学意味，多么平淡无奇。当然，最好是干脆不去。但这又是绝对不可能的：只要什么事情一旦吸引了我，我就会全神贯注，尽心竭力。否则，我也许会终生嘲弄自己："啊，怎么啦？害怕了？害怕现实了？害怕了！"恰恰相反，我迫不及待地想向这些"废物"证明，我压根儿就不是我自己想象中的那种胆小鬼。不仅如此，在畏葸退缩的冷热病最剧烈发作时，我还总幻想着自己能占上风，战胜他们，吸引他们，并迫使他们喜爱我——即便仅仅是"为了思想的崇高和毋庸置疑的机智"。他们将会抛下兹维尔科夫，他只好独坐一旁，闭口不言，无地自容，而我将彻底打垮兹维尔科夫。然后，我也许同他冰释前嫌，不分彼此，把酒言欢。然而，对我来说，最可恶也最可气的就是，我当时就知道，就完完全全、清清楚楚地知道，实际上我什么都不需要，实际上我压根儿不希望打垮他们、征服他们、吸引他们，而且，即便我真的如愿以偿，达到了目的，我也会自己首先认为这不值分文。啊，我不断祈求上帝，让这一天追风

97

摄影般飞快过去！在难以言说的愁苦中我走近窗户，打开气窗，凝视着在昏漠漠、暗蒙蒙中纷纷扬扬地飘落的湿漉漉雪花……

　　终于，我那破旧不堪的挂钟哑哑哑哑哑地敲了五下。我抓起帽子，极力不瞧阿波罗——他从一大早就一直在等着我给他发工钱，但出于自尊不肯先开口要钱——从他身边一溜烟闪过，跑出大门，乘上我特意用最后半个卢布雇来的豪华马车，像个老爷一般驱车驶往 Hôtel de Paris。

/ 四 /

还在头天晚上，我就料定，我会第一个到达。然而，问题并不在是否第一个。

他们不仅没有一个人到来，而且甚至让我几乎都找不到我们预订的包间。餐桌也还没完全摆好。这究竟是什么意思？我反复询问，最后才从侍应生那里了解到，宴会定在六点，而非五点。柜台那边也证实了这一点。我甚至都耻于细问下去了。这时仅仅才五点二十五分。假如他们更改了时间，无论如何总得通知我一声啊！市邮局可以办理此事呀，而不该让我在自己……而且甚至是侍应生面前"出乖弄丑"。我坐了下来，侍应生开始摆放餐具；当着他的面，我不知怎的越发感到憋屈。将近六点的时候，包间里除了点着的几盏灯外，又拿进来几支蜡烛。可是，侍应生却根本没有想到，我一进屋就应该立即把蜡烛拿进来。隔壁房间里，有两位脸色阴沉的客人在吃饭，每人各坐一桌，一副怒气冲冲的样子，闷声不响。远处的一个包间里人声鼎沸，甚至有人在大喊大叫，不时听到一大帮人在哈哈大笑，又不时传来用蹩脚的法语发出的尖叫声；那是一桌有太太们参加的酒宴。总而言之，真叫人无法忍受。我很少有过比这更为糟糕的时光，因此当他们在六点整一窝蜂唰地全体出现时，我在最初的一瞬间竟然欢天喜地，就像看到了救星，而几乎忘了应该做出一副怨气满腹的样子。

兹维尔科夫率先走入房间，一望而知他就是这伙人的老大。他和他们大家都喜笑颜开，但一看到我，兹维尔科夫就端起一副官架子，不慌不忙地走过来，装腔作势地稍稍弯了弯腰，并且向我伸出一只手来，似亲热但又不太亲热，带着某种老成持重、几乎是将军式的彬彬有礼，似乎他一边伸出手来，一边又在自我防范着什么东西。这与我预想的恰恰相反，我原以为，他一进屋就会哈哈大笑，发出以前那种尖溜溜的刺耳声音，而且一开口就是他那套索然寡味的笑料和一点儿也不俏皮的俏皮话。还在昨晚我就已做好准备，来洗耳恭听，可我万万没有料到他会摆出这么一副高高在上的大人物式的亲热。由此看来，他现在已经完完全全认为，他在一切方面都无可比拟地超过我了吧？如果他只是想以这种将军的派头来使我难受，我认为那倒还没什么。我吐口唾沫，付之一笑就行了。可是如果他确实没有任何使我难受的念头，他那颗公羊脑袋里真的产生了他无可比拟地超过我的想法，并且他只能以保护者的身份来接待我，那该怎么办呢？一想到这里，我顿时喘不过气来。

"我惊异地获悉，您乐意参加我们的聚会，"他开口说道，嗯嗯啊啊地拿腔拿调，压低声音，拖长字眼，这可是他过去从未有过的，"我跟您似乎总是很难谋面。您总躲着我们。犯不着嘛。我们并不像您想象的那样可怕。唔，不管怎么说，我很高兴，能恢——复——联——系……"

说罢，他大模大样地转过身子，把帽子放在窗台上。

"您等了很久？"特鲁多柳博夫问道。

"我是五点整准时到的，这是你们昨天跟我约定的时间。"我大声回答道，我怒火中烧，差点儿就要大发雷霆。

"难道你没有通知他改时间了？"特鲁多柳博夫转身问西蒙诺夫。

"没有。我忘了。"西蒙诺夫答道，但没有丝毫愧疚之意，甚至也没有向我道歉，便跑去点菜了。

"这么说，您来这里已经一个小时了，哎哟，真可怜！"兹维尔科夫大声嘲弄道，因为在他看来这确确实实是可笑至极。费尔菲奇金这个混蛋也紧跟着发出卑鄙无耻、狗崽子一般又尖又细的笑声。就连他也感到我的状况狼狈不堪、丢人现眼。

"这一点也不可笑！"我越来越气涌如山，冲费尔菲奇金喊了起来，"错的是别人，而不是我。别人不屑于通知我。这、这、这……简直荒谬绝伦。"

"不仅荒谬绝伦，而且还有点那个，"特鲁多柳博夫埋怨道，他在天真地为我打抱不平，"您也太柔心弱骨了。这简直是粗野无礼。当然，并非有意的。但这件事西蒙诺夫是怎么搞的……唉！"

"要是跟我玩这一手，"费尔菲奇金说道，"我就……"

"那您就会吩咐他们给自己送上点什么吃的来，"兹维尔科夫打断他的话说，"或者干脆不等人到齐就开饭。"

"请你们相信，我本来完全可以无须征得任何人同意就这样做，"我单刀直入，"我等候，是因为……"

"入席吧，诸位，"跨进门来的西蒙诺夫喊道，"万事俱备了！我负责香槟酒，冰镇得凉沁沁的……要知道，我并不知道您的住址，上哪儿去找您呀？"他突然转身对我说，但不知何故又没看我。显然，他有某种反对情绪。看来，是昨晚之后想好的主意。

大家纷纷落座。我也坐了下来。餐桌是圆的。我左手边坐着特鲁多柳博夫，右手边则是西蒙诺夫。兹维尔科夫坐在我对面。费尔菲奇金挨着他，坐在他和特鲁多柳博夫中间。

"请——问——问，您……是在司里上班？"兹维尔科夫继续关注我。他看见我陷入窘境，竟郑重其事地认为应该抚慰我一下，也就是说，让我抖擞精神。"他究竟怎么了，难道想让我拿酒瓶砸他。"我怒冲冲地思量。由于不习惯他这一套，我不知怎的腾地冒火了。

"就在……某某厅。"我眼睛望着盘子，断断续续地回答。

"那么……给您的——条件——优厚吗？请——问，是什么使——得您放弃原来的职务呢？"

"我愿意放弃原来的职务，所以我——就——放——弃——了。"我把字音拖得比他还长两倍，几乎快控制不住自己了。费尔菲奇金用鼻子嗤了一声，西蒙诺夫嘲讽地看了我一眼，特鲁多柳博夫不再吃东西，而开始好奇地打量着我。

兹维尔科夫自讨没趣，但他假装若无其事。

"唔——唔——唔，那您的收入怎么样？"

"什么收入？"

"就是您的工——工资？"

"怎么，您考问我？！"

不过，我还是立即说出了我领多少工资。我的脸涨得红通通的。

"太少了。"兹维尔科夫得意扬扬地指出。

"是啊，还不足以到咖啡屋饭馆去吃一顿呢！"费尔菲奇金蛮横无礼地补充道。

"照我看，这简直是少得可怜。"特鲁多柳博夫一本正经地说。

"因此，您就瘦骨嶙峋，今非昔比了……从那时起……"兹维尔科夫补上一句，他已经不无恶意，而且用某种狗眼看人低的同情目光，打量着我和我的衣服。

"够了，别再让人家难堪了。"费尔菲奇金嬉皮笑脸地喊道。

"阁下，告诉您，我并未感到难堪，"我终于轰地炸开了，"您听着! 我在这里用餐，在咖啡屋饭馆用餐，花的是自己的钱，是自己的钱，而不是吃别人的，请您注意这一点，monsieur[1]费尔菲奇金。"

"什——么! 有谁在这里用餐不花自己的钱? 您好像……"费尔菲奇金反驳道，他满脸通红得像只龙虾，七窍生烟地瞪着我的眼睛。

"对——啊，"我答道，感到自己做得过火了，"我认为，我们说话最好明智一些。"

"看来，您是想卖弄您的智慧?"

"请放心，智慧在这里是完全多余的。"

"那您在这里平地风波地嘚啵什么——啊? 莫非您已经在您的'瓶'[2]里被弄得发了疯?"

"够了，先生们，够啦!"兹维尔科夫一言九鼎地叫道。

"这真是愚不可及!"西蒙诺夫抱怨道。

"确实愚不可及，我们好友小圈子聚会，为好朋友送行，

---

1 法文，意为"先生"。

2 费尔菲奇金此处有意把"厅"说成"瓶"，以示轻蔑。

而您却来搅局，"特鲁多柳博夫单单冲着我一人粗声大气地说，"昨天可是您自己磨着硬要参加我们的聚会的，您可别破坏了大家和谐的气氛……"

"行了，行了，"兹维尔科夫喊道，"别吵了，先生们，这有失风度。现在最好还是听我跟你们讲一讲，我前天差一点结婚的事情……"

于是，关于这位先生前天差点结婚的荒诞不经的故事就开始了。然而，故事对结婚的事却只字不提，反倒不断地讲到那些将军、上校，甚至还有宫廷侍从，而他们几乎都唯兹维尔科夫的马首是瞻。赞许的笑声响起来了，费尔菲奇金甚至尖叫起来。

大家都把我扔在一旁，我只得垂头丧气、不知所措地枯坐着。

"上帝啊，这就是我的同伴！"我思忖着，"我在他们面前真是一个傻不拉叽的傻瓜！然而，我也太宽纵费尔菲奇金了。这群浑球竟以为，让我坐在自己的这桌酒席上是赏脸给我，殊不知这是我，是我在赏脸给他们，而不是他们赏脸给我！'瘦骨嶙峋！衣服！'哦，该死的裤子！兹维尔科夫刚才就瞄住了膝盖上的黄色污渍……还待在这里干什么！此时此刻，立马起身，离开餐桌，拿起帽子，一声不吭，一走了之……以示蔑视！哪怕明天决斗一场。这群下流坯，我可不是舍不得那七个卢布。也许，他们会以为……见鬼去吧！我并不是舍不得那七个卢布！我说走就走！……"

当然，我还是一动未动。

我为浇胸中块垒，一杯接一杯地狂喝拉斐特酒和赫列斯酒[1]。因为很少喝酒，我很快就喝醉了，而恼恨也随着醉劲不断增长。我突然想以一种最蛮横的方式把他们所有人都羞辱一顿，然后扬长而去。抓住时机，牛刀小试，就让他们去说：虽然可笑，但很聪明……而且……也……总而言之，让他们见鬼去吧！

我醉眼蒙眬、放肆无礼地扫视了一下他们所有人。然而，他们似乎早已把我忘到了九霄云外。他们热闹非凡，谈笑风生，兴会淋漓。兹维尔科夫一直在口若悬河地说个不停。我开始侧耳细听。兹维尔科夫正在讲一位雍容华贵的夫人，他最后终于诱使她表白了爱情（当然他这是在信口开河），并说在这件事上，他的一位莫逆之交科利亚帮了大忙，他是一位拥有三千农奴的公爵，一位骠骑兵。

"可是，这位拥有三千农奴的科利亚，怎么老是不来这里给您钱行呢？"我猝然插入谈话。所有人顿时闷声不响。

"您眼下已经喝醉了。"特鲁多柳博夫鄙夷不屑地斜眼看

1　拉斐特酒是一种法国红葡萄酒，赫列斯酒是一种西班牙白葡萄酒。

着我这边，但终于同意他目中有我了。兹维尔科夫一语不发地看着我，就像看一只甲虫。我低垂下眼睛。西蒙诺夫赶忙给大家斟上香槟。

特鲁多柳博夫举起了酒杯，除我而外，大家都紧随他举起了酒杯。

"祝你健康，并且一路平安！"他对兹维尔科夫高喊着，"为往昔的岁月，诸位，为我们的未来，乌拉！"

大家一饮而尽，并跑过去亲吻兹维尔科夫。我纹丝不动。满满的一杯酒放在我面前，也原封未动。

"而您难道不想喝吗？"失去耐心的特鲁多柳博夫气势汹汹地转头冲我大吼起来。

"我想自己致辞，单独敬酒……然后再干杯，特鲁多柳博夫先生。"

"讨厌至极的狠心狂！"西蒙诺夫抱怨道。

我挺直身子，坐在椅子上，抖颤颤地拿起酒杯，准备说出一些惊世骇俗的话来，但我自己也不清楚我究竟想说什么。

"Silence[1]！"费尔菲奇金叫道，"聪明人这就粉墨登场了！"兹维尔科夫郑重其事地等待着，他心知肚明，是怎么回事。

"中尉兹维尔科夫先生，"我开口道，"您知道吗，我痛恨

1　法文，意为"安静""沉默"。

巧舌如簧，痛恨巧舌如簧者和惺惺作态……这是第一点，而接下来就是第二点。"

大家都深感震撼。

"第二点，我痛恨风流韵事和风流成性之徒。尤其痛恨风流成性之徒！

"第三点，我热爱真理、诚实和正直，"我几乎是机械地继续说道，因为我自己已吓得浑身冰凉，我不明白，自己怎么会说出这样的话来，"我热爱思想，兹维尔科夫先生；我热爱真正的友谊，平等互待，而不是……哼……我热爱……然而，为什么说这些呢？我也为您的健康干杯，兹维尔科夫先生。您去勾引那些切尔克斯[1]女人吧，您去打死祖国的那些敌人吧，还有……还有……为您的健康干杯，兹维尔科夫先生！"

兹维尔科夫从椅子上站起身，向我鞠了一躬，并且说：

"万分感谢。"

他受到了极大的侮辱，连脸都气得白煞煞的。

"真见鬼！"特鲁多柳博夫一拳砸在桌子上，咆哮起来。

1　旧译"契尔克斯"，又称契尔卡斯人，属西北高加索民族，是阿迪格人的一个分支。主要分布在卡拉恰伊—切尔克斯共和国以及阿迪格共和国，是高加索人与可萨人等突厥人的混血。1780—1825年由卡巴尔达移居切尔克斯地区。19世纪由于沙俄政府的压力曾大量逃亡中东（约旦、土耳其、以色列、叙利亚、伊拉克），由信仰基督教改信逊尼派伊斯兰教，现也属西亚民族之一。

"不，为了这个就该扇他嘴巴！"费尔菲奇金尖声叫道。

"应该把他轰出去！"西蒙诺夫恨恨地说。

"别说了，先生们，也别动手！"兹维尔科夫威严地喊道，制止了群情激愤，"我感谢你们大家，但我自己能够向他证明，我是多么重视他的话。"

"费尔菲奇金先生，为了您刚刚说过的那些话，明天您必须满足我的一个要求！"我咄咄逼人地冲着费尔菲奇金高声喊道。

"也就是要决斗啰？愿意奉陪。"那人答道，可是，我提出决斗时的样子大概颇为滑稽，而且跟我的身形太不相称，他们大家都笑得前仰后合，连费尔菲奇金也跟着笑得快趴下了。

"对，不用说，别理他！他不是完全喝醉了吗？！"特鲁多柳博夫横眉怒目地说。

"我永远也不能原谅自己，竟然让他也参加了聚会！"西蒙诺夫再次抱怨道。

"现在我该把酒瓶扔向他们大家。"我想着，拿起酒瓶，于是……给自己倒了一满杯。

"不，最好坐到酒终人散！"我继续想着，"先生们，要是我走了，你们一定会喜跃抃舞。我偏不走。我偏要坐在这里，一直喝到酒阑人散，以示我根本没把你们放在眼里。我要继续坐着、喝着，因为这里是酒馆，而我来这里是付了钱的。我要继续坐着、喝着，因为我把你们都看作无名小卒，看作并不存在的无名小卒。我要继续坐着、喝着……还要唱歌，假如我想唱歌的话，对的，我就要唱，因为我有这种权利……唱歌……哼。"

可是，我并未唱歌。我只是极力不看他们任何一个人，摆出一副极其独立不羁的姿态，急不可耐地等待着他们抢先跟我谈话。然而，唉，他们就是金口不开。而此时此刻，我是多么、多么渴盼和他们握手言欢啊！时钟敲了八下，最后，又敲了九下。他们离开餐桌，挪到沙发上。兹维尔科夫斜躺在沙发上，把一条腿搁在小圆桌上。酒也被搬到那里。他真的给他们带来了自己的三瓶酒。当然，他没有邀请我过去。大家都围着他坐在沙发上。他们几乎都敬若神明地听他说话，显而易见，他们都很爱他。"为了什么? 为了什么? "我暗自思忖。他们时而在酒醉的欣喜中互相亲吻。他们谈着高加索，谈着什么是真正的激情，谈着加尔比克牌[1]，谈着机关里的肥缺；谈着他们谁都不曾谋面的骠骑兵波德哈尔热夫斯基有多少收入，并且因为他财源广进而欢天喜地；他们谈着他们谁也都不曾见过的 Д 公爵夫人国色天香、千娇百媚；最后

---

1 一种纸牌游戏，一般用来狂赌。

他们竟一直谈到莎士比亚的万古流芳。

　　我不屑一顾地微笑着，在包间的另一头，正对着沙发，沿着墙壁，在桌子和壁炉之间来回踱步。我不遗余力地试图向他们证明，没有他们我照样能活得很好；可与此同时我又故意踏着靴后跟，让靴子咚咚地跺着地面。然而，一切都是枉费心机。他们这伙人根本就置之不理。我耐心十足地就这么走着，正对着他们，从八点到十一点，总是在同一个地方，从桌子走到壁炉，又从壁炉转回桌子。"我就这样自顾自地走着，谁也无法禁止我。"来到包间的侍应生，好几次停住脚步望着我。由于不停地转身，我的脑袋都转晕了。有时候我觉得是在梦幻中。在这三个钟头里，我三次汗透衣裳，又三次把它们焐干。有时候，一种想法刺进我的心房，使我感到痛入骨髓、刻骨铭心的痛苦：再过十年，二十年，四十年，即便再过四十年，我依旧会带着厌恶和屈辱回忆起我整个一生中这一最为肮脏、最为可笑、最为可怕的时刻。比此刻更恬不知耻、更心甘情愿地糟践自己是绝不会再有了，我也清清楚楚、完完全全地明白这一点，但我仍然从桌子到壁炉地来回走着。"哦，要是你们能够知道我有着多么高尚的情感、多么深刻的思想，我又是多么有修养，那该多好！"我不时思量着，在心里对坐在沙发上的我那几个敌人说。然而，我的敌人竟只顾自娱自乐，似乎包间里根本就没有我这个人。有一次，仅仅就那么一次，他们向我转过头来，那正好是兹维尔科夫谈到莎士比亚的时候，而我突然不屑一顾地哈哈大笑起来。我十分做作、极其恶毒地用鼻孔冷哼一声，以致他们全都猛然停止了谈话，一声不响地注视了我两三分钟，他们神情严肃、毫无笑意，看着我怎样沿着墙壁，从桌子走到壁炉，而且丝毫不把他们放在眼里。可是，没有任何结果：他们闭口不言，两分钟后又把我弃之一旁了。时钟敲了十一下。

"诸位，"兹维尔科夫从沙发上站起来，高声说道，"现在都到那里去吧。"

"当然，当然！"其他人异口同声说。

我陡地转向兹维尔科夫。我痛苦不堪，难受至极，哪怕砍掉脑袋，也要结束这一切！我发起了寒热病，被汗水浸得湿答答的头发粘在前额和太阳穴上。

"兹维尔科夫！我请求您原谅我，"我心急如焚而又毅然决然地说，"费尔菲奇金，我也请您原谅，请大家原谅，请所有人原谅，我冒犯了大家伙儿！"

"啊哈！决斗可不是那么好玩的！"费尔菲奇金刻毒地挖苦道。

我的心被深深地扎了一刀。

"不，我并不害怕决斗，费尔菲奇金！我准备明天就与您决斗，但得在我们握手言和之后。我甚至坚持这一要求，而且您无法拒绝我。我要向您证明，我不怕决斗。让您先开枪，而我则朝天开枪。"

"他在自我安慰呢。"西蒙诺夫指出。

"简直是痴人说梦！"特鲁多柳博夫随声附和。

"我只请您让我们过去，您挡住路了！……唔，您到底想干什么？"兹维尔科夫轻蔑地回答。他们每一个都满脸红通通的，两眼亮灼灼的：全都喝高了。

"我请求您的友谊，兹维尔科夫，我羞辱了您，但是……"

"羞辱？您——您！羞辱了我——我？！您要知道，阁下，您在任何时候、任何情况下都羞辱不了我！"

"您也该闹够了，滚开！"特鲁多柳博夫乘胜追击，"我们走。"

"奥林匹娅是我的，诸位，说定了！"兹维尔科夫叫道。

"我们不会跟您抢！我们不会跟您抢！"大家嘻嘻哈哈地回答他。

我饱受屈辱地站着。这伙人闹闹嚷嚷地走出了包间，特鲁多柳博夫拖长声音哼着一支下流的歌。西蒙诺夫稍稍多留了一会儿，给侍应生付小费。我突然走到他跟前。

"西蒙诺夫！借给我六个卢布！"我坚决而又绝望地说。

他用那双呆怔怔的眼睛万分讶异地望着我。他也喝醉了。

"难道您也要跟我们一起去那里？"

"对。"

"我没有钱！"他断然说道，不屑一顾地冷笑一声，也走出了房间。

我一把抓住他的外套。这仿若一场噩梦。

"西蒙诺夫！我看见您有钱，您为何要拒绝我？难道我是个混蛋？拒绝我，您可要小心点：如果您能知道，如果您能知道，我为什么向您借钱！这关系到一切，我的整个未来，我的全部计划……"

西蒙诺夫掏出钱，几乎是把它丢给我的。

"拿去，既然你如此厚颜无耻！"他冷酷无情地说了一句，就跑出去追赶他们了。

我独自一人站了一会儿。房间里混乱不堪，桌上是残羹剩饭，地上是打碎的酒杯、泼洒的酒、一截截烟头，脑袋里是醉意沉沉和迷迷糊糊，心中是新仇旧恨，最后则是那个亲眼看到这一切、亲耳听到这一切并且正在好奇地凝望着我的眼睛的侍应生。

"去那里！"我高叫一声，"要么是他们大家都跪下，抱住我的腿，乞求我的友谊，要么……要么是我扇兹维尔科夫一记耳光！"

/ 五 /

"就这样，就这样，终于与现实冲撞起来了，"我嘟嘟哝哝着，飞一般奔下楼梯，"这可不是离开罗马去往巴西的教皇！这可不是科莫湖畔的舞会！"

"你是个混蛋！"一个声音从我的脑海里掠过，"你现在竟然还在嘲笑此事！"

"随他去吧！"我高声叫道，自问自答，"要知道，现在一切都完了！"

他们早已无影无踪了。不过无所谓：我知道他们去了哪里。

台阶边站着一个夜间拉客的万卡马车车夫[1]，身穿一件粗呢大衣，浑身落满了依旧纷纷扬扬的湿漉漉又似乎暖乎乎的雪花。天气湿答答，闷乎乎的。他那匹鬃毛乱蓬蓬的小花马也全身落满了雪花，并且打着响鼻。这些我都记得一清二楚。我纵身跳上树皮做的简易雪橇，然而就在我刚想抬腿坐下的时候，却想起了西蒙诺夫刚才丢给我六个卢布的情景，顿觉心力交瘁，像一袋面粉似的瘫倒在雪橇里。

"不！必须付出诸多努力，才能挽回这一切！"我高喊道，

1　万卡马车是俄国旧时驽马拉的简陋出租马车，万卡马车车夫则大多是从农村来城里谋生的。

"然而，我要么彻底挽回，要么便在今夜死于非命。走！"

我们动身了。一阵旋风在我的脑海里飞转：

"跪下来乞求我的友谊——他们绝不会这样做。这是白日梦，俗不可耐的白日梦，令人生厌、罗曼蒂克、虚无缥缈的白日梦，与科莫湖畔的舞会毫无二致。因此，我必须扇兹维尔科夫一记耳光！我非扇不可。就这样，板上钉钉了！我现在就风驰电掣般飞跑去扇他一记耳光。""快赶！"

车夫拉紧了缰绳。

"我一进去，就扇。是否该在扇耳光前说几句作为开场白呢？不，索性一进去就扇。他们一定都坐在客厅里，而他和奥林匹娅则坐在沙发上。该死的奥林匹娅！她有一次竟敢嘲笑我的脸，并且拒绝我。我要揪住奥林匹娅的头发，而兹维尔科夫则揪住他的两只耳朵！不，最好还是揪住一只耳朵，揪着他满屋子打转。他们也许都会来打我，把我推出门外。这甚至是毋庸置疑的。悉听尊便！毕竟是我先扇他耳光的：我先下手为强，而按荣辱的规则——这就足够了。他已经蒙受了奇耻大辱，即便他们大打出手也洗刷不了他脸上所挨的这一记耳光了，除非他进行决斗。他必须决斗。让他们这就开始打我好了。悉听尊便，你们这群卑鄙的小人！打得最凶的铁定是特鲁多柳博夫——他是那样孔武有力；费尔菲奇金会从侧面抓住我，而且必定是揪住头发，这是毋庸置疑的。不过，悉听尊便，悉听尊便！我就是为了这个而去的。他们那些山羊脑袋终于不得不尝尝一味这么做的悲剧滋味了！当他们快要把我拖到门边的时候，我会朝他们高叫，说他们实际上抵不上我一个小指头。""快赶，车夫，快赶啊！"我冲车夫大叫一声。他吓得打了个哆嗦，挥动了鞭子。我这声叫喊实在是够粗野的了。

"我们将在黎明时决斗，这是确定无疑的了。厅里的差事就此完了。费尔菲奇金刚才还把'厅'说成了'瓶'。然而，到哪里去弄手枪呢？废话！我可以预支薪水，买上一把。可是火药，还有子弹呢？这就是决斗副手的事了。但怎么来得及在黎明前把所有这一切都准备就绪呢？而且我到哪里去找决斗副手呢？我又没有熟人……废话！"我大叫一声，脑海里的旋风转得更烈了，于是更大声地叫道，"废话！我要向在大街上最先碰到的随便哪一个人提出请求，他必须做我的决斗副手，就像他把溺水者从水里救出来是义不容辞的一样。应该允许这种异乎寻常的情况出现。即便我明天哪怕是请科长本人当决斗副手，那么他仅凭一种骑士的情感也应该欣然同意，并保守秘密！安东·安东内奇……"

问题在于，恰恰就在这一瞬间，我也比全世界任何一个人都更清清楚楚、明明白白地意识到，我这些设想真是无耻之尤、荒谬绝伦，还有这件事的整个严重后果，但是……

"快赶，车夫，快赶，混蛋，快赶啊！"

"哎，老爷！"那农夫答道。

一阵寒意突然袭上心头。

"那不是更好……那不是更好……现在就径直回家？啊，我的上帝呀！为什么，为什么昨天我要主动提出参加这次宴会呢？可是不，不可能不参加！可又为何要在桌子和壁炉之间来回踱步三个小时呢？不，是他们，就是他们，而非别的什么人，应该给我还清这笔来回踱步的账！他们应该为我洗清这一耻辱！""快赶啊！"

"然而，要是他们把我送进警察局，那又怎么办呢？他们不敢吧？他们怕丢脸。然而，要是兹维尔科夫对我不屑一顾，拒绝决斗呢？这甚至是毋庸置疑的。不过，到那时我会向他们证明……当他明天动身的时候，我会直扑驿站，趁他登上马车的关头，抓住他的一条腿，剥下他的外套。我要用牙齿紧紧地咬住他的手，狠狠咬他一口。'大家看哪，一个被逼到山穷水尽的人最后会怎样！'就让他打我的脑袋，就让他们紧随其后毒打我吧。我要向所有人大喊：'大家看，就是这个狗崽子，脸上还挂着我的唾沫呢，却要去勾引切尔克斯女人了！'

"当然，从此以后，一切就都完蛋了！厅里的差事将从地面烟消云散。我将被拘捕，我将受到审判，我将被赶出机关，送进监狱，遭送到西伯利亚过流放生活。无所谓！十五年后，我刑满释放了，我将像个乞丐鹑衣百结地慢慢寻访他的踪迹。我将会在外省某个省城找到他。他已经结婚成家，而且很幸福。他已有了一个成年的女儿……我将对他说：'你看，恶棍，你瞧瞧我这瘦刮刮的面颊和烂兮兮的衣服！我失去了一切——前程、幸福、艺术、科学、心爱的女人，而这一切都拜你所赐。这是手枪。我来这里是为了卸空手枪里的子弹，并且……并且宽恕你。'于是我朝天空开了一枪，此后，我就杳无音信了……"

我甚至都哭了起来，虽说就在此刻我丁一卯二地知道，所有这一切都来自西尔维奥[1]和莱蒙托夫的《假面舞会》。于是我突然感到极其羞愧，羞愧得叫马车停了下来，走下雪橇，站在积雪的街道上。车夫长叹一声，莫名其妙地望着我。

怎么办？再到那里去是不行的——那简直是胡闹！到此为止吧，也不行，因为这是已经闹出的笑话了……"上帝啊！怎么能到此为止呢！而且蒙受了如此奇耻大辱！不！"我大叫一声，重新跳上雪橇，"这是命中注定的，这是定数！快赶，快赶，去那里！"

于是，我急不可耐地一拳砸在车夫的脖子上。

"你到底干吗？为啥打人？"那农夫叫了起来，但他还是

1　西尔维奥是普希金短篇小说《射击》（1830）中的主人公，他曾与一位军官决斗失败，后苦练枪法，以致枪法如神，并在那位军官婚后十分幸福时去找他，但只朝天放了一枪。

使劲抽了那匹劣马一鞭子，使得那马开始用后腿尥起蹶子来。

湿乎乎的鹅毛大雪纷纷扬扬地下着。我敞开衣服，任凭它雪飞天寒。我已忘记了其他一切，因为我已最终下定决心要去扇那记耳光，并且心惊肉跳地感觉到，这件事早已是必定马上就要发生，眼下就会发生，而且已经没有任何力量能够阻止它发生了。凄寂的街灯在雪花纷纷的蒙蒙昏暗中阴森森地闪烁，仿若送葬的火把。雪花一片片钻进我的大衣、礼服、领带下面，并在那里融化。我并未裹紧衣服：要知道，即便没有这些雪花，也一切都完了。终于，我们到达了目的地。我行尸走肉般跳下雪橇，奔上台阶，开始拳打脚踢地敲门。我的两条腿，特别是膝盖部分感到酥软无力。不知怎么大门很快就开了，似乎他们知道我会来。（确实，西蒙诺夫预先通知过，也许，还有个人要来，而来这里是必须预先通知的，并且往往必须采取预防措施。这是当时的一家"时髦商店"，这类商店现在早已被警察局取缔了。白天，它是货真价实的商店；可一到晚上，就必须有人介绍才能进去做客。）我快步如飞地穿过黑魆魆的店堂，走进我熟悉的客厅，那里只点着一支蜡烛，我惘然若失地站住了：一个人也没有。

"他们到底在哪里？"我向一个人问道。

可是，他们当然早已功成身退，各自回家了……

在我面前站着一个人，傻乎乎地笑着，这便是老鸨，多少有点认识我。过了一会儿，门打开了，又走进一个人。

我对什么都毫不在意，只是在房间里走来走去，似乎还在自言自语。我似乎已死里逃生了，而且全身心对此都有快乐的预感：须知我原本是来扇耳光的，我是百分之百、万分之万要扇他耳光的! 然而现在他们都销声匿迹了，并且……一切都云消雾散了，一切都截然不同了! ……我环视四周。我依旧迷迷瞪瞪的。我麻木不仁地看了一眼走进来的姑娘：在我面前闪现出一张鲜嫩、年轻、有点苍白的脸庞，两道直直溜溜的黑眉毛，一副正正经经、似乎有些惊讶的神情。这立刻使我大为喜欢。如果她满脸堆笑，我反倒会厌恶她。我开始聚精会神地打量起她来，似乎也更使劲地打量：我的思想还没有完全集中起来。在这张脸上，有某种纯朴和善良的东西，但不知何故又有一些严肃得令人讶异的东西。我坚信，她在这里会因为这一点而不吃香，那些笨蛋中没有一个人能看上她。说实话，她不能称为美人，虽然她身材高挑、健壮有力、体态匀称。她穿着极其朴素。某种下流的东西控制了我。我径直走到她面前……

我偶然照了一下镜子。我那惊慌失措的面孔让我厌恶到极点：苍白、凶狠、下流，一头乱糟糟的头发。"这由它去吧，我喜欢这样，"我心想，"我就喜欢，她看到我感到恶心，这使我心花怒放……"

/ 六 /

……在板壁后面的某个地方，仿佛受到什么强大的压力，又像是被人卡住了脖子，一座挂钟嘶嘶哑哑地响着。在长得极不自然的嘶哑声以后，紧接着响起了尖细的、刺耳的、有点突如其来的急促的报点声——仿若有人突地向前跳了出来。钟敲了两下。我倏然清醒，虽然我并未入睡，而只是迷迷糊糊地躺了一会儿。

在低矮、拥挤、逼仄的房间里，在堆满了巨大的衣柜和废弃的纸箱以及各种各样的破衣杂物的房间里——几乎是黑魆魆的，一支行将燃尽的蜡烛头，放在屋子尽头的桌子上，已经快要熄灭了，只是偶尔闪出一星光亮。再过几分钟，屋内将一片黑暗。

我很快就恢复了记忆。我毫不费力地一下子就想起了一切，仿佛这记忆一直在守候着我，伺机随时再次扑入我心田。而且，即便在昏昏沉睡中，记忆里也仍然总是有一个怎么也无法忘怀的点，我的那些惺惺忪忪的幻想就围着这个点沉重地转悠。然而，奇怪的是：我这一天所发生的一切，在我清醒的此刻，却感到已是十分久远的往事了，似乎我很久很久以前就早已把所有这一切忘得精光。

头脑里有一种不可抑制的冲动。似乎有什么东西在我头

122

顶飞舞，碰触我，刺激我，使我不安。忧愁和愤恨重又在心中沸腾，并寻找发泄。突然在我身旁和我并排着，我看见有两只睁着的眼睛，在好奇地、执拗地注视着我。这目光冷冰冰、阴凄凄，似乎完全是陌生的，令人感到难受。

一个阴郁的念头突然出现在我脑海，并像某种令人恶心的感觉一样传遍全身，这种感觉一如你走进潮湿、发霉的地下室时的感觉。这两只眼睛恰好只是在现在才想到开始仔细打量我，这真有点反常。我又想起，在连续两个小时里我没跟这个生物说过一句话，而且认为根本没有这个必要，这不知何故不久之前甚至还使我眉飞色舞。此刻，我才突然清楚地意识到，这是一种不成体统、像蜘蛛一样恶心的淫荡念头，它无须爱情，粗野而无耻，直接从真正的爱情水到渠成时才做之事开始。我俩就这样久久地对望着，但她并未在我的逼视下垂下视线，也没有改变自己的目光，以致最后我不知为何竟心生恐惧了。

"你叫什么名字？"我结结巴巴地问，以便早点结束这种局面。

"丽莎。"她几乎是悄声细语地答道，但不知为何十分冷淡，而且移开了视线。

我沉默了一会儿。

"今天天气……下雪……糟透了！"我几乎自言自语地说，

愁眉苦脸地把一只手枕在脑后，望着天花板。

　　她没有回答。这一切真是荒谬至极。

　　"你是本地人？"过了一分钟，我把脑袋稍稍转向她，几乎怒形于色地问。

　　"不是。"

　　"从哪里来？"

　　"从里加。"她勉勉强强地答道。

　　"德国人吗？"

　　"俄罗斯人。"

　　"早在这里了？"

　　"哪里？"

　　"这间屋里。"

　　"两个礼拜。"她说话越来越结巴、越来越结巴。蜡烛彻底熄灭了，我已经无法看清她的脸。

　　"父亲和母亲还在吗？"

　　"对……不……在。"

　　"他们在哪里？"

　　"那边……里加。"

　　"他们是做什么的？"

　　"就那样……"

　　"什么叫'就那样'？是什么样的人？什么身份？"

"小市民。"

"你一直跟他们住在一起?"

"是的。"

"你多大岁数了?"

"二十。"

"那你到底为什么要离开他们呢?"

"这……"

这个"这"的意思就是:别再纠缠了,真讨厌!我们都闷声不响了。

上帝才知道我为什么不一走了之。我自己也变得越来越烦躁,越来越苦闷了。过去的一整天所留下的印象,不知怎么竟自动地、不以我的意志为转移地乱糟糟掠过我的记忆。我突然想起早晨我提心吊胆地去上班时在大街上看到的一幕。

"今天有人抬棺材时,差点没掉下来。"我忽然说出声来,我根本就不想开口说话,这几乎是下意识地脱口而出的。

"棺材?"

"对,在干草市场;是从地窖里抬出来的。"

"从地窖里?"

"不是从地窖里……而是从地下的那一层楼里……唔,你知道……在那下面……从一家妓院里……四周遍布污泥……

蛋壳、垃圾……臭气熏天……脏得可怕。"

沉默。

"今天下葬实在糟糕!"我又开口说,只是为了打破沉默。

"为什么糟糕?"

"下雪,湿乎乎的……"(我打了个哈欠。)

"反正一个样。"她沉默片刻后突然说道。

"不,实在糟糕……(我又打了个哈欠。)掘墓人一定会骂街,因为雪把他们全身都打湿了。而墓穴里也一定有水。"

"墓穴里怎么会有水呢?"她有点好奇地问,但语气却比刚才更粗鲁、更生硬。有什么东西使我突然勃然大怒。

"怎么能没水呢?就在墓坑底,足有六俄寸深。在沃尔科沃公墓[1],你怎么也挖不出一处干燥的墓穴。"

"为什么?"

"什么为什么?那地方多水。那里到处是沼泽。所以就只好把棺材放进水里了。我亲眼所见……还不止一次……"

(我哪怕一次都没见过,而且从未到过沃尔科沃公墓,只是听别人这么说过。)

"难道你觉得死活都无所谓吗?"

---

1 圣彼得堡的一处著名墓地,又称彼得堡文人公墓,始建于 1861 年,著名作家屠格涅夫、冈察洛夫、库普林、安德列耶夫等都埋葬在此处。

"可我为什么要死呢？"她又答道，仿佛在自卫。

"总有一天你终究会死的，就像刚刚死去的那个女人一样。那也是……一个姑娘……得痨病死的。"

"妓女最好死在医院里……"（"她早已知道这事了，"我心想，"所以说'妓女'，而不是'姑娘'。"）

"她欠了老鸨的钱，"我反驳道，争论的兴致被刺激得越来越高，"因此一直到临死都在为老鸨接客，尽管身患痨病。车夫们和大兵们都在纷纷议论这事。想必他们是她的老相好。他们有说有笑。还准备到酒馆里去悼念她呢。"（我在这里很是添枝加叶，夸大其词。）

沉默，深深的沉默。她甚至纹丝不动。

"然而，死在医院里更好些，是吗？"

"那还不都一样？……可我干吗要死呢？"她怒气冲冲地补充了一句。

"并非现在，那么以后呢？"

"以后就以后呗……"

"千万别这样！现在你正当年轻、漂亮、娇艳——所以人家把你视为珍宝。然而，再过一年这样的生活，你就会今非昔比，变成明日黄花了。"

"再过一年？"

"不管怎样，一年以后你会身价骤跌，"我幸灾乐祸地继续说，"你也就会从这里搬到一家更低级的院子里。再过一年——搬到第三家，越搬越差，越搬越差，因而七八年后也就搬进干草市场的地下室里了。这还算好的。而最糟糕的是，除此以外，假如你还得上了什么病，唔，比如说，肺病……或者感冒了，或是其他的什么病。过这种生活，有病就很难治好。给病缠上了，也许就再也甩不掉了。那就只有死路一条。"

"那我就死吧。"她终于怒不可遏地答道，并且飞快地转动了一下身子。

"那真是太可惜了。"

"可惜谁？"

"可惜生命。"

沉默。

"你有过未婚夫吗？啊？"

"关您什么事？"

"我可不是打破砂锅问到底。不关我的事。你干吗生气呢？你当然会有自己的不顺心事。与我有什么相干？只不过感到可惜而已。"

"可惜谁？"

"可惜你。"

"用不着……"她悄声说，声音低得几乎听不清，并且再次转动了一下身子。

这可使我立刻怒从中来。怎么！我对她如此温存，而她……

"你到底是怎么想的？你走的是正路吗，啊？"

"我什么都不想。"

"糟就糟在你什么都不想。清醒清醒吧，趁现在还来得及。时间还来得及。你还年轻，长得也漂亮，可以恋爱，然后嫁人，成为幸福的……"

"并非所有出嫁的人全都幸福。"她用原来那种粗鲁的急促语调打断了我的话。

"并非所有的人，那是自然——但毕竟要比待在这里好得多。好得无可比拟。而有了爱情，哪怕没有幸福也可以生活下去。即使痛苦缠身，生活也很美好，活在世上就是好的，甚至不管你怎样活着。而这里，除了……臭气熏天。呸！"

我十分厌恶地转过身去，我早已无法冷冰冰地宏论滔滔了。我对自己所说的话也感同身受，不禁心潮澎湃。我早已渴盼让自己那些挤压在角落里的隐秘思想一吐为快了。有什么东西在我胸中猛地燃烧起来，某个目标"显现"了。

"你别看我也在这里，我不是你的楷模。我也许比你还坏。不过，我是喝醉了酒才到这里来的。"我依旧急忙替自己辩解，"况且男人和女人根本不能相比。完全是两回事。我虽然自暴自弃，糟践自己，可我却并非任何人的奴隶。我来了，又走了，也就没有我的事了。我抖掉身上的尘土，就不是原来那个我了。可拿你来说吧，从一开始就是个奴隶。是的，奴隶! 你把一切，把整个意志都奉献出来了。而且，今后你想挣脱这锁链，都无能为力了: 它会把你绑得越来越紧。这该死的锁链就是这样。我了解它。别的事我也就不说了，说了你也未必明白，不过，你倒告诉我: 看样子你一定欠了老鸨的债吧? 唔，你瞧! "虽然她没有回答我，只是一声不吭、聚精会神地倾听着，我还是加上一句，"瞧! 这就是你的锁链! 你已经永远无法还清这笔债了。他们一定会这样做的。这等于把灵魂出卖给了魔鬼……

　　"再拿我来说吧……兴许我也同样是一个不幸的人，你哪里知道呢，而且我是故意爬进污泥里的，也是由于日坐愁城啊。须知，大家都在借酒浇愁啊! 唔，那么，我来这里——也是为了消愁解闷啊。唉，你说说看，这到底有什么好: 就像我和你……不久以前……相遇结合了，而且我们相互之间自始至终都没有说过一句话，并且你后来开始像野兽那样看着我。我对你也同样如此。难道人们就是这样相爱的吗? 难道人与人就应该这样结合吗? 这简直是荒谬绝伦，就这么回事! "

　　"对! "她生硬而匆忙地附和我。这一声"对"的突如其来简直使我大吃一惊。这就意味着，也许，她刚才打量我的时候，脑海里也有同样的想法转悠过？这说明，就连她也会进行一定的思考了？……"见鬼，这倒饶有兴味，这——真是所见略同啊。"我心想，几乎兴奋得搓起手来，"要掌控这样一颗年轻的心还不是小菜一碟？……"

最使我醉心的就是耍花招。

她把自己的头转过来，挨我更近了，我在黑暗之中依稀感到，她用一只手支撑着脑袋。也许是在仔细打量我。真是可惜，我无法看清她的眼睛。我听见她深深的呼吸声。

"你为什么要到这里来？"我已经以某种权威的口气开口说。

"这……"

"可是，要知道在父亲家里生活该是多好啊！暖意融融，自由自在，自己的安乐窝啊。"

"可要是比这更差呢？"

"必须投其所好，"我脑海里灵光一闪，"一味煽情看来收效不大。"

不过，这个念头只是一闪即逝。我敢发誓，她确确实实已经引起了我的兴趣。何况，当时我也有点筋疲力尽，又多愁善感。再说耍花招与动真情是很容易并行不悖的。

"谁说的？！"我赶忙回答，"什么情况都可能发生。我就坚信，是有人欺侮了你，而且是他们更对不起你，而不是你对不起他们。我对你的身世尽管一无所知，但是像你这样一位姑娘，肯定不会情愿落入这里的……"

"我还算什么姑娘呢？"她用几乎听不清的声音悄声说。不过，我还是听清了。

"真见鬼，我竟在逢迎她。这真卑劣。但是，也许这倒是好事……"

她闭口不言了。

"你瞧，丽莎——我就来说说我自己吧！如果我从小就有一个家，那我就不会像现在这样了。对此我总是难以释怀。须知家里无论怎样不好——可毕竟是自己的父亲和母亲，而不是敌人，也不是外人。哪怕一年只有一次对你表示出爱意。你毕竟知道，你是在自己家里。我就是在没有家的情况下长大成人的，也许正是因此我才变得这样……无情。"

我又等着她开口。

"看来，她并不懂，"我心想，"而且真是可笑：竟教训起人来了。"

"如果我是一位父亲，而且我有一个女儿，我也许会爱女儿更胜过爱儿子，真的。"我侧面迂回道，似乎并非为了让她高兴一般。我承认，我的脸腾地红了。

"这是为什么呢？"她问道。

啊，看来，她在细听呢！

"就是这样；我也不知道啊，丽莎。你瞧：我认识一个做父亲的，是个一本正经、求全责备的人，可是却常常跪在女儿面前，亲她的手和脚，百看不厌，真的。她在晚会上跳舞，那他就会一连五个钟头原地不动地站着，目不转睛地看着她。爱她爱得如痴如狂，这我能理解。夜深了，她疲倦了——沉沉入梦了，而他一觉醒来，总要跑去亲吻熟睡的女儿，并为她画十字祝福。他自己穿一身油渍斑斑的破衣服，对所有人都一毛不拔，但为她却甘愿花光最后一分钱，送给她种种贵重礼物，如果她中意那礼物，他就乐不可支。父亲总是比母亲更爱女儿。一个姑娘生活在家里真是其乐无穷啊！而我嘛，恐怕都不愿把自己的女儿嫁出去了。"

"那又是为什么呢？"她问道，浅浅一笑。

"嫉妒啊，这是实话。唔，她怎么能去亲吻别的男人呢？怎么会爱别人胜过爱父亲呢？一想到这里就会感到心里堵得慌。当然，这全都是胡诌。当然，每个父亲到头来都会想通的。然而，我在女儿嫁出去以前，只有一件操心事让我痛苦不堪：怎样百般挑剔，让所有求婚者一个个都变得一无可取。可是最终，我还是会把女儿嫁给她自己心仪的人。须知，女儿自己爱上的那人，在父亲看来却总是最差的。事情就是这样。家庭中的许多不幸，常常都是由此引发的。"

"有些人却情愿把女儿卖掉，而不是正正当当地嫁出去。"
她突然脱口说道。

啊! 原来是这么回事!

"丽莎，这往往发生在那样一些可恶的家庭里，那里既
不信上帝，也没有爱，"我热情似火地接过她的话来，"而哪
里没有爱，哪里也就没有理性。确实有着这样的家庭，不过
我说的不是这样的家庭。显然，你在自己的家庭里看不到幸
福，所以才会这样说。你确确实实是个不幸的姑娘。唉……
这一切大多是因为贫穷啊。"

"那么，那些老爷家里的情况难道就好些不成? 正正经经
的人家里即使穷也生活得很好啊。"

"哦……对。也许吧。还有一点，丽莎: 人只喜欢计算自
己经受了多少痛苦，而不喜欢计算自己得到了多少幸福。可
如果公平合理地衡量衡量，那他就会发现，他是痛苦和幸福
两者兼而有之。唔，假如一个家庭万事如意，上帝赐福，丈
夫是模范丈夫，爱你，疼你，和你如胶似漆，那该多好! 在
这样的家庭里真是美满幸福! 甚至有时候哪怕苦乐掺半也很
好啊，须知，哪里没有痛苦呢? 也许，等你出嫁了，你自己就
会知道了。然而，就拿你嫁给你心爱的人以后新婚燕尔之时
来说吧，那真是幸福啊，有时候真是幸福无边! 而且这幸福
是时时处处都环绕着你。在新婚燕尔时期，即便与丈夫吵架

也能美美满满地收场。有些女人，爱得越深，就越是爱缠着丈夫吵架。真的。我认识这样的女人，她说：'瞧，我爱你，非常爱你，正因为爱你，所以我才折磨你，而你应该体会得到呀。'你可知道，人会出于爱而故意折磨人？这大多是女人。而她会暗自思忖：'反正以后我会那么爱他，那么疼他，所以现在折磨折磨他也不算罪过。'于是全家人都为你们而高兴，你们既和和美美，又开开心心，既亲密无间，又忠贞不渝……可也有一些嫉妒的女人。要是他出门在外——我知道这样一个女人——她就会无法忍受，在深更半夜跳起来，偷偷跑出去窥视：不会在那里吧，不会在那家吧，不会跟那个女人搞在一起吧？这可真是太糟了。她自己也知道这很糟，可就是魂不守舍，饱受煎熬，须知这是因为她爱他。一切都是由于爱呀。而在吵架之后，两人又和好如初，她自己向他认错，或者表示原谅他，这是多么好啊！于是两口子其乐融融，突然之间变得幸福无比——仿佛他们重又有缘重逢，重又洞房花烛，重又开始恋爱。因此，无论是谁，无论是谁都没有必要知道夫妻之间发生的事情，只要他们相亲相爱就够了。而且，无论他们之间发生了多么激烈的争吵——也不应该请亲生母亲来当仲裁，更不应该相互揭短示丑。他们自己就是自己的仲裁。爱情是上帝的秘密，无论夫妻俩发生了什么事，所有外人都应该对此闭目塞听。这样爱情就会更神圣、更美好。夫妻双方要真正相敬如宾，而很多事情都是建立在相互尊敬的基础上的。既然已经产生了爱情，既然因为爱情而结了婚，那么为什么要让爱情毁于一旦呢？难道就不能保持住爱情吗？爱情保持不住的情况是少见的。唔，只要幸运地碰上一个好丈夫，心地善良、诚实正直，爱情怎么会付诸东流呢？新婚燕尔时的柔情蜜意确实会消逝，但随之而来的却是更加美好的比翼齐飞。那时，夫妻俩心有灵犀，相濡以沫，共创美好家业，相互之间不再有秘密。而一旦生儿育女，那么每一个时刻，即使是最艰难的时刻，也都会幸福盈溢，只要心中有爱，而且还无所畏惧。那时，工作也是乐在其中，那时即便有时为了孩子而省吃俭用也会其乐无穷。须知他们以后会因此而爱你。也就是说，你是在为自己做储蓄。孩子们慢慢长大成人了，你感到，你是他们的楷模，你是他们的靠山；即使你撒手人寰了，他们也将一辈子保持你的感情和思想，因为这是从你身上传承下来的，他们将会效仿你的形象和样式[1]。也就是说，这是一项伟大的责任。这怎能不使父亲和母亲的关系更亲密无间呢？有人说，有了孩子日子就艰难了。这是谁说的？这是天赐洪福啊！你喜欢小孩子吗，丽莎？我是喜欢极了。你看看——这么一个粉嘟嘟的小男孩，吸着

1　此处暗用《圣经·旧约·创世记》第一章第二十六节的典故："神说：'我们要照着我们的形象，按着我们的样式造人。'"

你的奶，而哪个丈夫望着妻子抱着他的儿子坐在那里能不心潮澎湃呢？粉嘟嘟、胖乎乎的小宝宝，伸开四肢，自由自在地躺着；小手小脚嫩汪汪的，小指甲干干净净、细细巧巧的，细得让你看了都觉得好笑；那双小眼睛，好像什么都懂得似的。而他一边吸奶，一边用小手揪着你的乳房玩儿。父亲走过来，他便吐出奶头，整个身体向后仰着，看着父亲，笑了起来——只有上帝才知道这有多可笑——接着又一口一口地吸起奶来。而当乳牙长出来后，他有时会突然咬住母亲的乳头，还要用自己那双小眼睛瞟着母亲：'瞧，我咬住了！'那么，当丈夫、妻子、孩子三个在一起的时候，难道这一切不是幸福融融的吗？为了这样的时刻，许多事情都是可以宽恕的。不，丽莎，自己首先必须学会生活，然后才能去指责别人！"

"必须生动形象，必须生动形象才能说服你！"我暗暗思忖，虽然说实话，我是饱含感情说的，但是我却突然满脸通红了，"然而，唉，如果她突然哈哈大笑起来，那我往哪里逃呢？"这个想法使我顿时勃然大怒。在我的长篇大论临近结束时，我确实激动不已，可现在我的自尊心不知何故受到了伤害。沉默在延续。我恨不得推她一把。

"您有点……"她突然开口说，但又停住了。

但我已经全都明白了：在她的声音里，已经有某种别的东西在颤动，它已不像早先那样生硬、粗鲁和倔强，而是带着某种柔和与羞怯，这种羞怯竟然使我自己不知怎么突然在她面前深感惭愧、深自歉疚。

"什么？"我满怀柔情好奇地问道。

"就是您……"

"什么？"

"您有点……像是从书上搬来的。"她说，在她的声音里，似乎突然之间又能听到某种嘲讽的口吻。

她这句话深深刺痛了我。这可大出我的意料之外。

我竟然不曾懂得，她是故意用嘲讽掩饰自己，而这是那些羞羞怯怯、心地纯洁的人们惯用的最后一招，因为别人硬要蛮横无理、穷追猛打地窥探他们的内心世界，而他们出于高傲，直到最后一刻都不会让步，害怕在别人面前流露自己的感情。出于胆怯，她好几次欲言又止，求助于嘲讽，直到最后才决定吐露心声，这我本来应该可以猜想得到的。但我并没有猜想到，于是我就怒发冲冠了。

"你就等着吧。"我心想。

"哎，得了吧，丽莎，还说什么搬书不搬书的，连我自己这个旁观者都感到恶心呢。何况我也并非旁观者。所有这一切而今在我心里已经苏醒了……难道，难道你自己在这里就不感到恶心吗? 不，看来，这真是习以为常啊! 鬼知道，习惯能把人变成什么。然而，难道你当真认为你会青春永驻，会永葆花容月貌，而且人家会永远把你留在这里吗? 我暂且不说这里的卑鄙污秽……不过，我倒想跟你谈谈这么一件事，那就是你现在的生活：你目前虽然正值妙龄，貌美如花，人见人爱，心地善良，感情丰富。唔，可你是否知道，就拿我来说吧，刚才一醒过来，马上就因为在这里跟你睡在一起而感到恶心! 须知只有在喝醉以后才会到这里来。但如果你是在另一个地方，像良家妇女那样生活，那么也许我就不会这样轻浮地追逐你，而是干脆爱上你，你看我一眼，我都会心花怒放，更不用说跟我说话了; 我会在大门边守候你，我会跪倒在你面前，我会像看未婚妻那样看着你，而且还以此为荣。我绝不敢对你有什么不洁的念头。然而在这里我清清楚楚知道，我只要吹一声口哨，不管你愿意不愿意，你都得跟我走，我无须顾及你的意志，而你却必须遵从我的意志。最贫贱的农夫受雇当了长工——毕竟还不曾让整个自己都沦为奴隶，而且他还知道自己有一定的期限。可你的期限在哪里？你只要想想：你在这里出卖的是什么？被奴役的是什么？是灵魂，灵魂，你无法主宰的灵魂，你让灵魂连同肉体一起全都受人奴役！你把自己的爱情奉献给任何一个酒鬼去肆意糟蹋！爱情！——须知这就是一切，须知这就是钻石，是少女的珍宝！这就是爱情！须知为了获得这爱情，有人甘愿肝脑涂地、视死如归。而现在你的爱情能值几何？整个的你，已经被完完全全、彻彻底底地买下了，既然没有爱情也什么都可以做，那么还用得着去追求什么爱情吗？须知，对于一个姑娘来说，没有比这更厉害的屈辱了，你明白吗？瞧，我听说，为了安慰你们这些傻妞，他们允许你们在这里有情郎。可你要知道，这纯粹是逗你们玩，纯粹是欺骗，纯粹是对你们的嘲弄，而你们却信以为真了。他，这位情郎，当真会爱你吗？我不相信。如果他知道有人随时都能把你从他身边叫走，他又怎么能爱你呢？果真如此，他就是一个王八了！他会对你有一星半点尊敬吗？你跟他能志同道合吗？他会嘲笑你，而且会偷窃你——这就是他全部的爱情！他不打你，还算是好的。不过，他也许会打你。如果你有这样一位情郎，你倒可以问问他：他会娶你吗？如果他没有唾你一口或者打你一顿，那他笃定会朝你哈哈大笑，而他自己呢，也许最多只值几分臭钱。你想想，就为了这些，你竟然要在这里毁了自己的一生？人家为什么给你喝咖啡、让你吃饱饭呢？你可知道，他们到底为什么要给你饭吃呢？换个姑娘，换个正正经经的姑娘，这种饭她连一小口都咽不下喉，因为她知道人家为什么给她饭吃。你在这里欠了债，那就会一直欠下去，一直欠到人老珠黄，客人开始厌弃你。而这个时候很快就会到来，你别指望青春妙龄会长久。须知在这里青春是如飞消逝的。他们将会把你撵出门去。而且还不是简简单单地撵出门去，而是起初长时间开始鸡蛋里挑骨头，开始指责你，开始辱骂你——倒好像不是你把自己的健康奉献给了老鸨，枉自为她毁掉了青春和灵魂，倒好像是你使她荡尽家产，让她沦为乞丐，把她抢掠一空。而且，你也别指望有人会支持你：你的那些女友们也将会对你群起而攻之，以便讨好老鸨，因为在这里所有人都是奴隶，良心和怜悯早已扫地以尽。她们都已变得卑鄙下流，而世界上再没有比她们的辱骂更龌龊、更卑鄙、更侮辱人的了。在这里，你将奉献一切，毫无保留地奉献一切——既包括健康，也包括青春，还包括美貌，更包括希望，但到了二十二岁你会看上去就像三十五岁，如果不生病，那要算最好不过了，你要为此而感谢上帝。须知，你现在也许认为，你什么工作也不用做，那就纵情狂欢吧！然而，世界上再没有而且从来也没有过比这更沉重、更遭罪的工作了。似乎孤苦伶仃的心整个儿都浸泡在泪水里。而且当你被他们撵走的时候，你连一个字都不敢说，甚至连半个字都不敢说，只能像罪人那样走掉。你将搬到另一个地方去，接着再搬到第三个地方，然后又搬到其他什么地方，最后搬进了干草市场。而在那里，动手打人可是司空见惯的事，这是那里的脉脉温情，那里的客人不打人就无法跟你温存。你不相信，那里会如此令人恶心吧？你不妨什么时候去瞧瞧，你也许会亲眼见到。我就有那么一次新年的时候在那里看见过一个女人，站在大门边。那里的人戏弄她，把她推出门外，而且关上了大门，让她稍稍挨点冻，因为她挨打后哭得震天动地。才早上九点钟，她就已喝得醉醺醺的，披头散发，半裸着身体，身上伤痕累累。她脸上涂满了脂粉，眼睛四周却乌青乌青，鼻子和牙缝里都在流血，这是刚刚给某个马车夫整治的。她坐在石头台阶上，手里拿着一条什么咸鱼。她哭天喊地，一边数落自己的'苦命'，一边用咸鱼拍打着石阶。而台阶边围聚着一群马车夫和喝得酩酊大醉的士兵，在逗弄她。你不相信，你也将沦落到这般模样吗？我也不愿相信，但你怎么知道，也许在十年八年之前，就是这个手拿咸鱼的女人，从什么地方来到这里的时候，也像小天使一样光洁如玉、天真浪漫、纯洁无邪。她不知道什么是恶，听到什么话就脸红。也许，就像你一样，心高气傲，动辄生气，而不像别的姑娘，把自己看作公主，她自己知道，美满的幸福在等着那个爱她并且她也爱他的人。你瞧，结果怎么样呢？假如就在她喝得酩酊大醉，披头散发，用咸鱼拍打着脏兮兮的石阶的时候，她回忆起了过去在父亲家里度过的纯洁岁月，那时她还在上学，而邻居的儿子在半路上守候她，发誓将一辈子爱她，把自己的命运交托给她，于是他俩便山盟海誓，约定彼此永远相爱，一等长大成人就操办终身大事！如果就在这个时候她想到了这些，她又作何感想呢？不，丽莎，如果你能像此前说到的那个姑娘一样，在那里的某个地方，在某个角落里，在地下室里，得了痨病很快死去，你可就幸福了，幸福了。你说，进医院？能送你去，当然很好，然而假如老鸨还用得着你呢？痨病就是这么一种病，这可不是寒热病。得病的人直到最后一刻，还心存希望，说自己健康。自己安慰自己啊。而这对老鸨倒也有利。别担心，就是这么回事。就是说，灵魂都已出卖了，可还欠着债，因此你不敢说个'不'字。而当你快要死时，大家都会抛弃你，所有人都会转身远去——因为那时从你身上还能得到什么呢？他们还会责骂你，说你白白占着地方，怎么不早点死掉。想讨口水喝都得不到，得到的是一阵辱骂：'你这贱货，什么时候才断气啊；吵得人睡不成觉——成天哼哼唧唧的，客人都烦透了。'这是真的，我就亲耳听到过这种话。他们会把奄奄垂绝的你塞进地下室最阴暗的一个角落里——那里黑洞洞、湿漉漉的。你独自一人躺在那里，那时你翻来覆去地想的是什么呢？你刚一咽气——就会有陌生人来草草收尸，满嘴抱怨，很不耐烦——没有一个人为你祈祷，没有一个人为你叹息，只想尽快从肩上甩掉你这重负。他们买上一口棺材，把你抬出去，就像今天抬出那个可怜的姑娘一样，追悼则是在小酒馆进行的。墓穴里满是泥泞、垃圾和湿漉漉的雪——对你还用得着客气吗？'把她放下去，万纽哈；她本就是个"苦命人"，就让她在这里也两脚朝上放下去，就这样。往上收绳子，冒失鬼。''好吧，也就这样吧。''什么好吧？瞧，她还侧着身子呢。她好歹也是个人啊，不是吗？唔，这就行了，填土吧。'因为你，他们都不愿多骂人了。他们急匆匆地埋上湿漉漉的蓝灰色黏土，就到小酒馆去了……这也就是你在人世记忆的终点。别人还有孩子上坟，父亲、丈夫也会来，而你呢——没有一滴眼泪，没有一声叹息，没有一丝悼念，整个世界任何时候都不会有一个人给你上坟；你的名字将从大地上烟消云散——仿佛你从来就不曾存在过，也从来没有诞生过！只有遍地泥泞和大片沼泽，深更半夜，当死人都站起身的时候，你也只能在那里敲着棺材盖高喊：'好人们啊，请放我回人间再活些日子吧！我曾活过——但却没有见过真正的生活，我的生活只是一块抹布！它被人在干草市场的小酒馆里喝掉了！好人们啊，请放我回人间再活一次吧！……'"

我热情高涨，以致连喉头都快要痉挛起来了，于是……我突然停了下来，心慌意乱地稍稍抬起身子，战战兢兢地低下脑袋，惴惴不安地开始侧耳倾听。我如此六神无主，大有原因。

我早已预感到，我彻底搅翻了她的灵魂，撕碎了她的心灵，而且我越是真切地感到这一点，我就越想尽可能更迅速、更有力地达到目的。一场游戏，一场游戏吸引了我。不过，这不仅仅是游戏……

我知道，我说得气势汹汹、矫揉造作，甚至书卷气十足，总而言之，除了"像是从书上搬来的"以外，别的什么我都不会。然而这并未使我发窘，我早就知道并且预感到，她会理解我，而且这种书卷气本身对此还大有助益。可是，现在在完全奏效以后，我却突然胆战心惊了。不，我还从来不曾、从来不曾见过这样的绝望！她趴伏在床上，双手抱住枕头，把脸深深地埋进枕头里。她的胸部剧烈地起伏着。她那整个年轻的身体痉挛般地不停颤抖。憋在心底的悲伤重压着她，撕扯着她，突然喷发出来，变成了号啕大哭，变成了声声喊叫。于是她更使劲地把脸深埋进枕头里：她不希望这里的任何一个人，即便是好心肠的人知道她的痛苦和眼泪。她咬着枕头，把自己的一只手都咬出了血（这是我后来看到的），或者用手指死死地抓住自己那散乱的发辫，屏住呼吸，咬紧牙关，一动不动地硬是强忍着。我本想开口劝她几句，请她安静下来，可又觉得我无能无力，于是我自己突然浑身一阵痉挛，几乎是心惊肉跳地摸索着跳下床，试图尽快离开这里。屋子里黑黢黢的：无论我怎样努力，可就是没法尽快穿戴好。忽然，我摸到了一盒火柴和插着一整支尚未点过的蜡烛的烛台。烛光刚照亮屋子，丽莎便突然跳了起来，坐在床上，有几分扭曲的脸上挂着半疯狂的微笑，近乎麻木地望着我。我坐到她身旁，并且握住她的双手。她倏然清醒，扑到我身上，想要抱住我，但又不敢，于是便在我面前静静地低下了头。

"丽莎，我的朋友，我真不该……请你原谅我吧。"我开口说道，可她把我的双手紧紧地握在自己的手里，握得如此有力，使我醒悟到我不该那么说，于是便闭口不言。

"这是我的地址，丽莎，请来做客吧。"

"我会来的……"她斩钉截铁地低声说道，依旧没有抬起头来。

"那么，我这就走了，别了……再见。"

我站起身来，她也跟着站起身来，并且突然满脸通红，浑身颤抖，一把抓起放在椅子上的头巾，披在自己的肩上，一直遮到下巴颏。做完这件事后，她不知为何又病态地微微一笑，脸腾地红了，古里古怪地看了我一眼。我心里剧痛。我匆匆走出，希望尽快溜之大吉。

"请您等一下。"她突然说，当我已经走到大门边的过道里时，她伸手拉住我的外套，请我停下来，然后放下蜡烛，气喘吁吁地跑了回去——看来，她想起了什么，或者想把什么东西拿给我看。她跑开的时候，满脸通红，两眼放光，嘴角挂着微笑——这是怎么回事呢? 我情不自禁地等待着。一分钟后，她回来了，那眼神仿佛有什么事请求原谅一般。总之，这已全然不是刚才那张脸，全然不是刚才那种眼神——忧郁、怀疑和固执的眼神了。此刻，她的眼神是祈求的、柔和的，但同时又是信任的、温柔的、羞怯的。孩子们往往就是用这样的眼神看着他们极其喜欢并对其有所求的人。她的眼睛是浅褐色的，是一双很美的眼睛，水灵灵的，既能反映出她心中的爱，也能折射出阴郁的恨。

她并未向我做任何解释——仿佛我是某种通灵动物，无须任何解释就能洞悉一切一般——她把一张纸递给我。在这一瞬间，她的整个面容闪熠着一种天真无邪、几乎是孩子般的喜悦。我打开那张纸。这是某个医科大学生或诸如此类的人写给她的一封信——一封辞藻华丽、雕章镂句，但又相当虔敬的求爱信。现在我已记不起其中的词句了，但却很清楚地记得，透过崇高的文体表露出了诚挚的真情，而这是装不出来的。当我读完信后，马上就发现她那热烈的、好奇的、孩子般急不可耐的目光在注视着我。她的一双眼睛凝神盯着我的脸庞，迫不及待地等待着——我到底会说些什么？

她简明扼要、急急忙忙，但又似乎兴高采烈并引以自豪地向我解释道，有天晚上她去某处参加一个舞会，一个家庭舞会，那里都是一些"极好、极好的人，有家有口的人，而且在那里他们还什么都不知道，完全不知道"，——因为她在这里还只是新来乍到，而且仅仅是这样……还没有完全决定留下来，只要一还清了债，就一定离开……"唔，就在这里，遇见了这位大学生，整个晚上都与她跳舞，和她谈心，原来，早在里加，早在他还是个小男孩的时候，他就跟她认识了，两人一块玩，只不过这是很久以前的事了——他还认识她的父母，但是对于这事他却一丝一缕、半分半毫都不知道，也没有半点怀疑！因此就在舞会后的第二天（也就是三天前），他就通过跟她一起去参加晚会的一位女友送来了这封信……并且……唔，这就是全部故事。"

当她讲完这件事，她就羞答答地低下了她那双亮闪闪的眼睛。

可怜的姑娘，她精心保存着这个大学生的信，就像保存珍宝一样，而且飞跑着去取来自己这唯一的珍宝，生怕我匆匆离去了，却不知道还有人真心实意、誓死不二地爱着她，还有人满怀尊敬地跟她谈心。也许，这封信注定要毫无结果地藏在她的首饰盒里。但那又何妨；我坚信，她将一辈子珍藏这封信，把它当作自己的珍宝，当作自己的骄傲，当作自己的辩护书，因此，这个时刻她想起了这封信，并把它拿来了，为的是天真地用它在我面前自豪一番，在我的心目中恢复她的地位，好让我看见这一切，好让我因此夸奖她。我一句话都没说，只握了握她的手，就走了。我是那么想离开……整个路途我都是步行，尽管湿乎乎的雪总是像鹅毛一般下个不停。我疲惫不堪，备感压抑，惶惑不安。可是，真理已经在惶惑不安背后闪闪发光。这烦人的真理！

/ 八 /

但是，我并未立刻就心悦诚服地承认这一真理。第二天早晨，从好几小时的沉睡中，从铅一般沉重的梦境中醒来以后，我立即对昨天一整天的事情进行了反思，我甚至为自己昨天对丽莎的温情脉脉和所有那些"昨天的恐惧和怜悯"而大吃一惊。"居然陷入这种娘儿们的神经失常，呸！"我自我断定，"而且又为什么要把我的地址硬塞给她呢？她要是真来了，那怎么办呢？不过，也好，就让她来吧；没什么太大关系……"然而，显而易见，目前最主要的和至关紧要的问题不在这里：应该急如星火，而且无论如何要抢时间挽救我在兹维尔科夫和西蒙诺夫心目中的声誉。这才是重中之重。这个早晨，我忙得不亦乐乎，以至于把丽莎完全彻底地忘记了。

首先必须立即还清昨天欠西蒙诺夫的债。我决定走一步险棋：向安东·安东内奇借整整十五卢布。真是凑巧，他这天早晨心情极佳，我一开口，他就把钱借给了我。我为此笑逐颜开，在借据上签字时摆出一副豪放不羁的架势，满不在乎地告诉他，说我昨天"和几个朋友在 Hôtel de Paris 饮酒作乐；是欢送一个同学，甚至可以说是我童年的一个朋友，而且您知道吗，他是一个花天酒地的人，从小娇生惯养——唔，当然啰，出身名门，广有家财，前程似锦，又机智，又可爱，您可知道，他还是个攀花折柳的高手。我们喝光了另要的'半打'，而且……"须知，这没什么；所有这一切都说得极其轻轻松松、随随便便，而且扬扬自得。

回到家里，我赶紧给西蒙诺夫写了一封信。

直到今天，每当我回忆起我那封信中所表现出来的真正绅士式的、豁达大度的、开诚布公的风度时，我仍然感到沾沾自喜。措辞巧妙，气度高贵，而最主要的是没有任何废话——我把一切都归咎于自己。我为自己辩解道，"如果还允许我为自己辩解的话"，那完全是因为我根本不会喝酒，第一杯就把我喝得酩酊大醉，这一杯（似乎是）还在他们到来之前喝的，那时我正在 Hôtel de Paris 从五点到六点等候着他们。我首先请求西蒙诺夫原谅，并请他向其他所有人转达我的歉意，特别是兹维尔科夫，因为"我仿若做梦一般依稀记得"，我似乎侮辱了他。我还补充道，我本拟亲自登门向大家道歉，可是头疼欲裂，而最主要的是——愧对大家。我最为满意的是我那种"有点轻描淡写"，甚至几乎漫不经心（不过，十分得体）的口吻，这种口吻突然化为文字，胜过一切可能出现的理由，能使他们一下子就明白，我对"昨天所有这一切恶劣行为"自有相当独立的看法，我完完全全、彻彻底底不像你们诸位先生可能想象的那样一蹶不振，而是恰恰相反，我就像一个自尊自重的绅士那样，平心静气地看待这一切。"常言道，不以往事责英雄嘛。”

“须知，这岂不是有几分侯爵式的俏皮吗？”我又把信从头读了一遍，自我陶醉道，“但这都因为我是个博览群书、满腹经纶的人！要是别人处于我这种境地，他早就一筹莫展了，而我却硬是跳出了困境，而且悠然自得，这一切都因为我是‘当代博览群书、满腹经纶的人’。况且，这一切也许都是因为昨天多喝了酒。哼……哦，不对，并非酒的原因。从五点到六点我等候他们的时候，我可是滴酒未沾啊。我对西蒙诺夫说了谎，恬不知耻地说了谎，而且即便现在也没感到羞耻……”

啊，但是，去它的吧！重要的是，我跳出困境了。

我把六个卢布装进信封，把信封好，让阿波罗去送给西蒙诺夫。知悉信里有钱，阿波罗肃然起敬，同意去走一趟。傍晚时分，我出去散步。我的头依旧在疼，而且从昨天起就一直昏昏沉沉的。可是，随着夜晚越近，暮色越浓，我的印象就越发变幻不定、纷乱不已，而思绪也随之变得乱糟糟的。在我身上，在我心灵和良心的深处，有什么东西并未悄悄死去，也不愿悄悄死去，并化为一种摧心蚀骨的苦闷。我多半是在行人最熙熙攘攘、店铺最星罗棋布的街道上挤来挤去，沿着小市民街、花园街，绕着尤苏波夫花园。我总是特别喜欢在暮霭降临的时候在这些街道上走来走去，那也正是那里密密麻麻挤满了各种各样的行人、手艺人、小商贩的时候，他们满脸愁容，忧心如焚，为了每天的工钱，挨家挨户，四处奔走。我喜欢的正是这种蝇头小利的奔忙，这种原生态的庸庸碌碌。这一次，街上摩肩继踵的整个拥挤景象更强烈地刺激了我。我怎么也没法掌控自己，也无法理清思绪。有什么东西在我心中不断地腾跃、腾跃，使我疼痛不已，并且不愿平息。我心烦意乱到了极点，于是赶紧回家。就好像有什么罪重压在我心上。

丽莎会来，这个念头一直折磨着我。我感到奇怪的是，在昨天所有那些回忆中，关于她的回忆不知为何却特别强烈、特别突出地折磨着我。傍晚前，我早已把其他所有事情忘记得干干净净，早已全都弃如敝屣了，而且我一直为写给西蒙诺夫的那封信感到极其心满意足。但此刻，我不知为何却总感到有点不满足。"如果她真来了，怎么办？"我不停地想，"那又有什么，没关系，就让她来好了。唉。糟糕的只是，比如说，她会看到我是怎样生活的。昨天我在她面前充足了……英雄……可现在，唉！这真是糟糕透了，我竟这样落魄潦倒。屋子里简直一无长物。而且我昨天竟会决定穿着那样的衣服去赴宴！可我那漆布沙发，连里面垫子的棕团都露出来了！而我那件睡衣，也没法完全遮住它！简直是破烂布片……因此这一切她都会看到，而且也会看到阿波罗。这个畜生，说不定会欺负她。他会对她寻瑕索瘢，为的是让我难堪。而我呢，不用说，照例会不知所措，在她面前畏畏缩缩，用睡衣的衣襟来遮住自己，开始赔着笑脸，并开始撒谎。喔，真卑劣！可是，这还不算最卑劣的！还有某种比这更主要、更卑鄙、更下流的东西！对，更下流！而且还须，还须戴上这可耻的、虚伪的面具！……"

想到这里，我立刻怒气冲天：

"为什么是可耻的呢？有什么可耻？我昨天说的都是发自内心的。我记得，我当时也是动了真情的。我正是要唤起她心中的高尚情感……如果她哭了，那么这就很好，可见这已产生了良好的作用……"

然而，我还是怎么也无法静下心来。

当我回到家里，虽然已经九点过后，我也估计丽莎无论如何都不会来了，但是这晚整个晚上，我还是仿佛看到了她，而且最主要的是看到她总是以同一个姿态出现。在昨天的所有情景中，我印象特别深刻的正是这一时刻：当时，我刚一划燃火柴照亮房间，就看见了她那张苍白的、扭曲的脸，和她那受苦受难的目光。在那一刻，她脸上的微笑是多么可怜、多么勉强、多么扭曲！但我当时还不知道，即便十五年后，我所想起的丽莎，依旧恰恰带着那一刻出现在脸上的那种可怜的、扭曲的、不必要的微笑。

第二天，我已经准备再次把这一切视为胡思乱想，是神经过敏的结果，而最主要的是过甚其辞。我始终意识到我这根脆弱的弦，有时还为它担惊受怕："我总是夸大一切，问题也就出在这里。"我时时刻刻对自己反复念叨。不过，话又说回来，"但是，丽莎也许终究会来"。这就是我当时每次思来想去后最终一再得出的结论。我失魂落魄，有时简直达到疯狂的地步。"她会来！她一定会来！"我在房间里奔来跑去，高声大叫，"今天不来，明天就一定会来，而且一定会找到我！所有这些纯洁心灵的可恶的浪漫主义就都是这个样子！哦，多么卑鄙！哦，多么愚蠢！哦，这些'卑劣的感伤灵魂'是多么鼠目寸光！唔，我怎么会不明白，倒好像我不明白似的？……"但是想到这里，我主动停下了，甚至深感大惑不解。

"只需寥寥数语，寥寥数语，"我顺便想到，"只需寥寥数语，只需那么几句田园牧歌式的话（何况这田园牧歌还是矫揉造作的、照搬书本的、生编硬造的），就立刻能按照自己的意图改变一个人的灵魂。这就是少女的纯真！这就是天真无邪的土壤！"

有时，我想自己去她那里，"把一切都向她讲明"，并请求她不要来我这里。但是，想到这里，我立刻火冒三丈，以致假如丽莎这时突然出现在我身旁，我说不定会掐死这个"可恶的"丽莎，对她大加羞辱，往她脸上吐唾沫，把她痛打一顿，再把她赶出门去！

155

然而，第一天过去了，第二天也过去了，第三天又过去了——她却始终没有来，于是我也就渐渐安之若素了。每到九点钟以后，我就感到特别神清气旺，于是出外散步，有时甚至开始了甜腻腻的幻想："我，比如说，挽救了丽莎，因为她常到我这里来，而我跟她谈话……我开导她，教育她。最后我发现她爱上了我，狂热地爱上了我。我假装不懂（可我不知道为什么要假装，大概，是为了装装面子吧）。最终，她羞羞答答而又仪态万方地跪倒在我脚下，浑身哆嗦，号啕大哭，说我是她的救星，她爱我胜过爱世上的一切。我深感吃惊，但是……'丽莎，'我说，'难道你以为我没有发现你对我的爱情吗？我看见了一切，我猜测到了，但是我不敢抢先攻占你的心灵，因为我对你产生过影响，因此怕你出于感激而有意迫使自己报答我的爱情，勉强唤起你心中也许本来没有的感情，而这是我很不希望的，因为这是……独断专行……这是很不光彩的（唔，总而言之，这时我一簧两舌，带着某种欧洲式的、乔治·桑[1]式的、神秘高贵、文雅含蓄的语调）。然而，现在，现在——你是我的，你是我的心肝，你纯洁、美丽，你是我尽善尽美的妻子。

1　乔治·桑（1804—1876），法国19世纪女小说家，原名露西·奥罗尔·杜邦，一生创作了244部作品。她宣称："艺术的使命就是情感与爱的使命。"因此在作品中大量描写爱情，塑造"温柔甜美的形象"。

于是，你以正正规规的主妇身份

勇敢而自由地走进我的家门！[1]

"然后，我们就开始过幸福的生活，一起出国，等等，等等。"总之，连我自己都感到卑劣，因此到最后我把自己好好嘲弄了一番。

"但是他们可不会放她这样的'贱女人'出门的！"我思忖着，"须知，她们似乎很难被放出来走走的，尤其是晚上（不知何故，我总是想当然地认定，她一定会晚上来，而且正好在七点钟）。不过，她说过，她在那里尚未彻底沦为奴隶，还享有一点点特权。这就意味着，嘿！见鬼，她会来的，必定会来的！"

幸亏在这个时候，阿波罗以他粗鲁无礼的行为转移了我的注意力。他真是使我忍无可忍！他是上天给我安排的一个灾星，一个祸害。我和他经常彼此挖苦，已经一连数年了，因此我恨死了他。我的上帝，我对他真是深恶痛绝啊！在我一生中，我似乎还从未像恨他那样痛恨过任何人，特别是在某些时候。他是一个上了年纪的人，妄自尊大，曾经干

1　这是涅克拉索夫的诗《当我用激情洋溢的规劝话语……》里的最后两句。

过裁缝。但是，不知何故他竟蔑视我，甚至蔑视到无以复加的地步，以一种令人无法忍受的目空一切的态度对待我。不过，他对所有人都持目空一切的态度。只要看一眼他那淡黄色头发梳得溜光溜光的脑袋，看一眼他在自己前额上梳得高高、涂满植物油的一绺烫卷头发，看一眼他那张厚实的、总是抿成三角形的嘴巴——你们就会感觉到，你们面前的这个人是一个任何时候都极其自信的人。这是一个极其吹毛求疵的人，是我在世上遇到的天字第一号吹毛求疵的人，而且他还具有只有马其顿的亚历山大¹才会有的那种自尊。他珍爱自己的每一粒纽扣、每一个指甲——肯定珍爱，他那副眼神就是这样! 他对我的态度极其专横跋扈，很少跟我说话，即便偶尔看我一眼，目光也是那样桀骜不驯、唯我独尊，并且总是带着嘲讽，有时简直惹得我怒火冲天。他履行自己职责时的那副神态，仿佛是在赐给我天大的恩惠。不过，他几乎任何事情都不为我做，甚至根本就不认为自己应该为我做什么事。毫无疑问，他认为我是整个世界最大的傻瓜，而且他之所以"把我留在自己身边"，唯一的原因就是他每个月可以从

---

1 亚历山大 (前 356—前 323)，马其顿国王 (前 336—前 323)，曾师从古希腊著名学者亚里士多德 (前 384—前 322 年)。18 岁随父出征，20 岁继承王位，在担任马其顿国王的 13 年中，以其雄才大略东征西讨，在横跨欧、亚的辽阔土地上，建立起了一个东起葱岭与印度河平原，南至波斯湾并包括埃及，西到色雷斯和希腊，北抵黑海及阿姆河的庞大帝国。

我这里拿到工钱。他同意"什么事都不做"，就可以每月从我这里拿到七个卢布。正因为如此，他才原谅了我的许多过失。我有时恨他竟到这样的地步，只要一看到他走路的样子，我就会浑身发抖。但是最令我切齿痛恨的是他那嘟嘟囔囔的低语腔调。他的舌头比一般人的要稍长一点，或者是另有诸如此类的原因，因此他说话时总是咝咝发音不准、嘘嘘模糊不清，并且他还似乎因此特别自鸣得意，自以为这会使他身价倍增、高人一等。他说话时声音很低，一字一顿，双手背在身后，两眼望着地面。当他有时在隔壁自己的房间里诵读赞美诗时，尤其使我切齿腐心。为了这个诵读，我跟他多次发生冲突。然而，他偏偏嗜好在晚上诵读，声音低沉，语调平稳，拖着长腔，就像在追悼亡灵。饶有意思的是，他后来竟把这派上了用场：他现在正受雇为死人诵读赞美诗，而与此同时，他还负责消灭老鼠和做鞋油。可是在当时我没法赶走他，仿佛他与我的生活已经融合一体，发生了化学反应一般。而且他本人也无论如何不会同意离开我。我无法住在家具齐全的出租房子里：我的房间是我的小天地，我的蜗牛壳，我的一个套子，我躲在里面离群索居。而阿波罗呢，鬼知道是什么原因，我总觉得他就是这个住所的一部分，因此我整整七年都没法赶走他。

想要拖欠他的工钱，比方说，哪怕只是两天，哪怕只是三天，那也是办不到的。他会闹得惊天动地，以致我都不知道该往何处躲藏。然而，在这几天里，我对所有人都恨之入骨，因此我不知什么原因也不知为了什么决定惩罚一下阿波罗，还要再拖两个星期才给他发工钱。我早就准备这样做了，还在两三年前就准备这样做了——唯一的目的就是为了向他表明，他不该在我面前妄自尊大，而且只要我愿意，我就可以随时不给他发工钱。我决定这事先对他秘而不宣，并且甚至故意缄口不言，以便打掉他的傲气，迫使他自己首先找我谈工钱的事。到那时，我就从箱子里取出整整七个卢布，让他看看，钱我是有的，可就是有意扣着不给，因为我"不乐意，不乐意，就是不乐意给他工钱，我之所以不乐意，就因为我乐意这样做"，因为这是"老爷我的意志"，因为他对我太不恭敬，因为他粗鲁无礼，可是，如果他毕恭毕敬地求我，那我也许会心软下来，并把钱给他。否则的话他还得再等上两个星期，三个星期，甚至整整一个月……

　　然而，无论我怎样凶狠，最终还是他获得了胜利。我连四天都没能坚持住。他采用过去类似情况下惯用的方式开始行动，因为类似的情况已经多次出现，而且屡试屡灵（我得指出，我对这一切早就一清二楚，对他那卑鄙的伎俩也洞若观火），这就是：他常常先用十分严厉的目光盯着我，一连好几分钟都盯住不放，特别是迎我回家或送我出门的时候。假如我，比方说，挺住了他的目光，装出视若无睹的样子，他就会依旧一声不响，着手下一步的折磨。当我正在房间里踱步或者看书的时候，他往往会突然无缘无故、悄无声息、不紧不慢地走进我的房间，站在门口，把一只手背在身后，伸出一条腿，并且用已不再是严厉而完全是鄙视的目光逼视着我。如果我突然问他，你有什么事？他会一言不发，双眼再继续逼视我几秒钟，然后古里古怪地抿紧嘴唇，做出一副意味深长的样子，慢慢腾腾地在原地转过身去，又慢慢悠悠地走回自己的房间。两三个小时以后，他又突然走出来，依样画葫芦地再次出现在我面前。有时，我被他惹得怒发冲冠，早已不再问他：你有什么事？而是干脆果断、威严地抬起头来，并且同样开始逼视着他。我们常常就这样互相逼视两三分钟，最后他转过身去，慢条斯理、趾高气扬地再次离开我两个钟头。

如果我到此地步还不醒悟，还要继续反抗的话，那他就会突然开始叹气，他会望着我，长久地、深深地叹气，仿佛要用这声声叹气来测量我道德堕落的深度，因此，不言而喻，最后的结局是他大获全胜：我暴跳如雷，大喊大叫，可是那件引起争端的事情，仍然还得按照他的意思办。

然而，这一回，那"严厉目光"的惯用手法刚一开始，我就立刻大发雷霆，怒火万丈地向他猛扑过去。没有这件事，我本来就已经怒火中烧了。

"站住!"当他慢慢腾腾、一言不发地转过身去,一只手背在身后,准备走回自己房间的时候,我怒气冲天地大吼一声,"站住!回来,你给我回来!"也许是我的大吼声太过反常,因此他竟转过身来,甚至颇带几分讶异地开始仔细打量我。然而,他依旧一声不吭,这可把我气疯了。

"你怎敢未经许可就擅自走进我的房间,而且还竟敢这样看着我?快说!"

可是,他泰然自若地看了我半分钟,又开始转过身去。

"站住!"我咆哮一声,猛冲到他身边,"不许动!就这样。现在你回答:你为何要进来看?"

"要是您眼下对我有什么吩咐,那么我的职责就是照办。"他依旧沉默了一会儿,然后才回答,声音低沉,语调平稳,发出嘘嘘的声音,还耸起眉毛,行若无事地把脑袋从这边肩膀侧向另一边肩膀——而且所有这一切都做得惊人地平心静气。

"我问你的不是这个,不是这个,刽子手!"我高声大叫着,气得浑身发抖,"我告诉你,刽子手,你为什么要来这里:你看到我没发给你工钱,但你又夜郎自大,不愿低头——开口求我,因此你就跑来用这种愚蠢的目光惩罚我、折磨我,可你这刽子手也不想——想——想,这真是愚不可及,愚不可及,愚不可及,愚不可及,愚不可及!"

他默不作声，又想转回身去，但我一把抓住了他。

"你听着，"我对他大喊道，"这就是钱，你瞧，这就是钱！(我把钱从抽屉里掏出来) 整整七个卢布，可就是不给你，就是不——给——你，除非你恭恭敬敬地向我低头认错，请求我原谅。听到没有！"

"这办不到！"他带着某种变态的自信回答。

"必须办到！"我大叫道，"我老实告诉你，必须办到！"

"可我没有什么要请你原谅的，"他继续说道，似乎对我的大喊大叫视而不见、听而不闻，"因为您竟然骂我'刽子手'，我凭这随时都可以到警察分局去告您侮辱我。"

"你去！你去告吧！"我咆哮如雷了，"现在就去，马上就去，此刻就去！可你还是刽子手，刽子手，刽子手！"但他只是看了看我，然后转过身子，根本不理会我叫他回来的呼喊，安然自若、头也不回地缓步走进自己的房间。

"如果不是丽莎，就绝不会发生任何这类事情！"我暗自断定。接着，我神气活现、大获全胜似的站了分把钟，不过，心脏却在缓慢而剧烈地跳动，然后，我又亲自到隔壁房间去找他。

"阿波罗！"我轻声轻气、一板一眼但又气喘吁吁地说，"你可要马上就去找警察分局局长，一刻也不要耽误！"

这时他已在自己的桌子边坐了下来，戴上眼镜，并缝起什么东西来了。可是，听到我的命令后，他却突然扑哧一声笑了起来。

"马上去，此刻就去! ——快去，要不然你可想不到会出什么样的事! "

"您真是疯了，"他说道，甚至连头都没抬，照旧慢慢悠悠地发着嘘嘘的声音，继续引线去穿针眼，"哪里见过有人去找长官来跟自己过不去的呢? 至于害怕嘛——您就别再使劲嚷嚷了，因为——什么事都不会发生。"

"你去啊! "我抓住他的肩膀尖声叫道。我觉得，我马上就要动手打他了。

然而，我竟然未曾听见，就在这时，通往过道的门突然轻轻地、慢慢地打开了，有个人走了进来，停住脚步，开始困惑地打量着我们。我抬头一看，羞得人都呆住了，接着便撒腿跑回了自己的房间。在那里，我双手揪住自己的头发，用脑袋顶住墙，就这样一动不动地僵在那里。

两分钟以后，传来了阿波罗慢慢悠悠的脚步声。

"那里有个女人找您。"他说，异常严厉地看着我，然后闪到一边，放进了——丽莎。他不愿走开，并且嘲笑地注视着我们。

"走开! 走开! "我惊慌失措地命令道。这时，我的钟憋足了劲，嗞嗞嗞嗞地敲了七下。

164

/ 九 /

于是，你以正正规规的主妇身份
勇敢而自由地走进我的家门！

——引自同一首诗

我站在她面前，灰心丧气，仿佛蒙受了奇耻大辱，羞愧到了极点，我只好强装笑颜，并竭力裹紧那件破烂的棉睡衣——唔，和我不久前精神萎靡时所想象到的情景如出一辙。阿波罗站着扫视了我们两三分钟后就走了，但我并不感到轻松。糟糕透顶的是，她也突然发起窘来，而且竟然窘到完全出乎我的意料。当然，是因为看到了我的窘相。

"请坐。"我机械地说，并把桌子旁的一把椅子挪给她坐，自己则坐在沙发上。她立即顺从地坐了下来，瞪大了双眼望着我，显然是在等着我马上开口说话。这种天真的等待真使我怒气冲天，但我克制住了自己。

这种时候，本该尽量装作什么也没看见，就像一切都平平常常，而她却……于是我隐隐约约感到，她将为这一切付出巨大的代价。

"你正好碰上我陷入窘境，丽莎。"我结结巴巴地开口说

165

道，我也知道，谈话真不该这样开头。

"不，不，你千万别多想！"我看见她突然腾地红了脸，便喊了起来。"我并不因我的贫穷而感到难堪……相反，我以我的贫穷为骄傲。我虽然贫穷，但是品德高尚……一个人可以贫穷而品德高尚……"我嘟嘟囔囔着，"不过……你要喝茶吗？"

"不……"她开口说。

"请等等！"

我一跃而起，飞跑过去找阿波罗。总得找个地方躲一躲啊。

"阿波罗，"我像发烧般火急火燎地低声急语道，并把一直攥在手心里的七个卢布丢到他面前，"这是你的工钱。瞧，我给你了。但是你必须救救我：赶紧到饭店里去买点茶和十片面包干来。要是你不愿去，你将会把我变成不幸的人！你不知道，这是个多好的女人……这——就是一切！你也许在多想了……可你不知道，她是一个多好的女人！……"

已经坐下来干活并且重新戴好眼镜的阿波罗，最初并未放下手里的针，只是默默地瞟了一眼那钱，然后根本不理睬我，也一个字都不回答我，继续引线去穿那一直没穿进的针眼。我站在他面前，à la Napoléon[1] 交叉双手，足足等了三分

1　法文，意为"像拿破仑一样"。

钟。我的两鬓汗水淋淋，我自己则脸色惨白，对此我感觉到了。然而，感谢上帝，看着我这模样，他大约是动了怜悯之情。他穿上针线后，慢吞吞地推开椅子，慢腾腾地摘下眼镜，慢悠悠地把钱数了又数，最后侧过头来问我：是不是买整份的茶点？然后，慢腾腾地走出房间。当我返回丽莎那里去的时候，半路上我灵光一闪：是否就这样，穿着睡衣，一走了之，管它以后发生什么事呢。

我重又坐了下来。她忐忑不安地望着我。好几分钟内，我俩都默默无语。

"我要杀死他！"我突然大喊一声，砰地一拳狠砸在桌子上，连墨水瓶里的墨水都被震得溅了出来。

"哎呀，您这是怎么啦！"她打了个哆嗦，惊呼道。

"我要杀死他，杀死他！"我擂着桌子尖叫着，完全陷入了气愤若狂的状态之中，同时也完全明白，这样气愤若狂真是愚不可及。

"你不知道，丽莎，这个刽子手对于我来说意味着什么。他是我的刽子手……他现在买面包干去了，他……"

说着，我突然泪流满面，泣不成声了。这是一种歇斯底里大发作。在这抽抽泣泣中我感到羞愧难当，可是我已经无法控制住自己了。

她目瞪口呆。"您怎么啦！您这是怎么啦！"她叫着，急得在我身边团团转。

"水，给我点水，就在那里！"我用弱微微的声音嘟囔着，其实我心里明白，我完全无需喝水，也完全可以不用弱微微的声音嘟囔。但是，为了挽回面子，不得不像人们常说的那样，故意装腔作势，不过那阵歇斯底里大发作倒是真的。

她把水递给我，手足无措地望着我。这时阿波罗端来了茶。我突然觉得，在发生了这一切之后，这普普通通、单调乏味的茶，真是极不体面，十分寒酸，因此我的脸腾地红了。丽莎看着阿波罗，甚至有点望而生畏。他没看我们一眼就走了出去。

"丽莎，你看不起我了吧？"我直直地瞪着她问，因迫不及待地想知道她的想法而浑身颤抖。

她感到羞窘，什么话也回答不出来。

"喝茶！"我凶巴巴地说。我很生我自己的气，但是，不用说，她理所当然地成了出气筒。对她的可怕怨恨，猛然在我心中沸腾起来，我真恨不得杀了她。为了报复她，我暗暗发誓，在整个这段时间里一句话也不跟她说。"她就是这一切的祸端。"我心想。

我们闷声不响，持续了五六分钟。茶放在桌子上，我们都没有碰：我是故意不愿先喝，以此使她更感到难堪，而她又不好意思自己先喝茶。她满怀忧伤、大惑不解地看了我好几次。我却执拗地沉默不语。主要的受难者，不消说，还是我自己，因为我清清楚楚地意识到，这种愚蠢的迁怒于人是多么可恶、多么卑鄙，但与此同时，我又怎么也无法控制住自己。

"我从那里来……我打算……彻底离开。"为了打破沉默，她开口说道。但是，可怜的姑娘啊！在这本来就愚不可及的时刻，对着一个像我这样本来就愚不可及的人，实在不该从这件事说起。对于她这种愚钝和不必要的直率，我的心甚至都因怜悯而酸痛起来了。然而，在我心中某种丑恶的东西又立即彻底吞噬了我的怜悯之情；甚至还有加无已地煽动我：让世上的一切都完蛋吧！又过了五分钟。

"我没有打扰您吧？"她战战兢兢地开口说，声音几乎难以听见，并且站起身来。

然而，我刚一看到这被侮辱的自尊闪出的第一道火光，就愤恨得浑身发抖，并且立刻火冒三丈。

"你为什么到我这里来，告诉我，请你？"我喘着气开口说，甚至连说话的逻辑顺序都没有考虑。我想要竹筒里倒豆子一般把所有的话猛地一下子全都倒出来。我甚至顾不上从哪里说起了。

"你来干什么？你回答！快回答！"我几乎失去理智地大

叫起来，"我来告诉你吧，亲爱的，你来干什么。你到这里来，是因为我当时对你说了几句怜悯的话。这使你感到松快，于是你又想来听'怜悯的话'了。但你知道吗，知道吗，我当时是在嘲笑你。现在还在嘲笑你。你为什么发抖呢? 对，嘲笑你! 在那以前，有人在吃饭时欺侮了我，就是那几个比我先到你们那里的人。我到你们那里去，是为了狠揍他们中的一个人，一个军官，但没能如愿，没有碰上，总得找个人转移一下怨气，恢复心理平衡吧，正好你撞在枪口上了，于是我就迁怒于你，尽情嘲笑你。人家侮辱了我，所以我也要侮辱别人；人家把我当成一块抹布，所以我也要显示一下自己的神威……事情就是这样，而你却以为，我当时是有意来拯救你的，对吗? 你是这样想的吗? 你是这样想的吗? "

　　我知道，她也许被弄得一头雾水，一时搞不清其中的前因后果；但我也知道，她必定会一清二楚地理解事情的本质。情况果真如此。她的脸变得像头巾一般白煞煞的，她想说些什么，她的嘴唇病态地扭曲着，但她却像双腿猛遭斧劈，跌倒在椅子上。在此后的整个时间里，她都一直听着我说话，大张着嘴，圆睁着眼，心惊胆战，浑身哆嗦。我那些厚颜无耻、恬不知耻的话彻底压垮了她……

　　"拯救你! "我继续说道，同时从椅子上跳起来，在她面前，在房间里，奔来跑去，"为什么要拯救你! 何况我自己也许比你更糟呢。当我长篇大论地训诫你时，你为什么当时不撕下我的假面具，说：'而你呢，你自己为什么到我们这里来？是来上道德课的吗？'权力，我那时需要的是权力，需要的是游戏，需要的是得到你的眼泪、你的屈辱、你的歇斯底里——这些就是我当时需要的东西！须知当时我自己也承受不住了，因为我是个窝囊废，被吓得心惊胆战，鬼知道我为什么傻乎乎地把地址给了你。后来，我还没回到家里，就为了这个地址，把你骂了个狗血喷头。我之所以憎恨你，是因为我当时对你撒了谎。因为我只不过是说着玩玩，听凭大脑想入非非，告诉你吧，而实际上我需要的是：你们全都见鬼去，就是这样！我需要的是安宁。为了不让人打扰我的安宁，我情愿只要一戈比就立刻把整个世界卖掉。是让整个世界见鬼去呢，还是让我喝不成茶？我会回答，为了让我能永远喝上茶，就让整个世界都见鬼去吧。你是知道这一点，还是不知道呢？唔，而我却知道，我是一个下流坯，一个恶棍，一个自私自利之徒，一个懒鬼。我这三天来一直惶惶不安，就是怕你来。你可知道，整整这三天里我最惴惴不安的是什么吗？那就是，我当时曾在你面前充足了大英雄，而在这里你却突然看到我穿着这件破兮兮的睡衣，穷得叮当响，鄙陋不堪。我刚才对你说，我并不因自己的贫穷而感到难堪；那么，你现在就该知道，我深感难堪，难堪至极，也害怕至极，甚至比偷东西还更难堪、更害怕，因为我这人虚荣心极重，重得就像被人剥了皮，一碰到空气就剧烈疼痛。难道你直到现在还不明白，我永远也不会原谅你了，因为你正好碰见我穿着这件睡衣，像只疯狗一样扑向阿波罗。一个让人复活者，一个过去的英雄，竟然像一条乱蓬蓬的癞皮狗一样扑向自己的仆人，而那个仆人却在嘲笑他。而且我还像个受了侮辱的娘儿们一样在你面前情不自禁地泪流满面，为此我永远也不会原谅你！还有，为了现在我向你承认的这一切，我也同样永远不会原谅你！是的，你，只有你一个人必须为所有这一切负责，因为刚巧被你碰见了，因为我是个混蛋，因为我是世界上所有虫豸中最卑劣、最可笑、最渺小、最愚蠢、最嫉妒成性的虫豸，其他的虫豸一点也不比我好，但鬼知道他们为什么从来就不感到羞愧；而我一辈子却要为每一个虫卵怄气——这正是我的一大特点！你对我说的这些什么也不懂，这与我又有什么相干！至于你这个人，至于你会不会死在那里，这和我又有什么相干，啊，什么相干？而且，你是否明白，现在我把这一切都告诉你之后，我将会憎恨你，因为你待在这里并且听到了我的话？须知一个人一生中只有一次会这样和盘托出，而且也只有在歇斯底里的时候！……那你还要什么呢？经过了所有这一切以后，你为什么还要挺在我面前，折磨我，且赖着不走呢？”

然而，就在这时，突然出现了一个奇怪的现象。

　　我已经习惯了按照书本来思考一切和想象一切，并且习惯于把世上的一切想象成自己过去在幻想中臆造的一样，因此我甚至一下子没有明白当时这种奇怪的情况。情况是这样的：饱受侮辱、备感难堪的丽莎，她所理解的远比我想象的多得多。她从所有这一切中理解到了，一个女人如果真心诚意地爱一个人就会最先理解到的要义，那就是：我本人也很不幸。

　　她脸上的恐惧感和屈辱感，先是被痛苦和诧异所取代，而当我痛哭流涕，把自己称作下流坯和恶棍的时候（我是声泪俱下说完那一段宏篇大论的），她的整个脸由于抽搐而扭曲了。她一度想站起来，阻止我说下去。当我说完后，她竟毫不在意我那"你为什么到这里来，你为什么赖着不走"的叫喊，而关注的是我竟说出这样的话来，心里必定苦不堪言。何况她备受凌辱，可怜至极。她认为自己与我相比是无比的低贱。那么她又怎么会生气、叫屈呢？在一阵无可遏制的冲动中，她突然从椅子上跳起来，整个人都准备扑向我，但依旧胆怯了，不敢离开原地，只是向我伸出了双手……顿时，我的心也波翻浪涌。这时，她猛地扑到我身边，双手搂住我的脖子，并且痛哭起来。我也情不自禁地号啕大哭，我还从来没有这样哭过……

　　"别人不让我……我没法做……好人！"我泣不成声地说

道，然后我走到沙发边，一头扑在沙发上，在真正的歇斯底里中号啕大哭了足足一刻钟。她紧挨着我倒了下来，紧抱着我，就这样一动不动地紧抱着我。

可是，问题依旧在于，歇斯底里大发作总有过去的时候。于是（须知我写的是极其丑恶的真实），我脸朝下紧紧地趴在沙发上，把脸深深埋在我那破破烂烂的皮靠垫里，我开始慢慢地、由远而近地、不由自主但又无可抑制地感觉到，我现在可是再也没脸抬起头直视丽莎的眼睛了。我为何感到羞愧呢？我不知道，可我就是感到羞愧难当。我那惶惶不安的脑袋里还猛然想到，现在我们扮演的角色可是完全颠倒过来了，眼下她成了英雄，而我倒变成了一个被欺凌、被压垮的人，和四天前那个夜晚站在我面前的她毫无二致……而且，所有这一切在我刚趴在沙发上那一分钟就出现在我脑海里了。

我的上帝！难道我在那时就已羡慕起她来了？

我不知道，直到今天我还是无法断定，而当时当然比现在更无法弄清这一点。没有操控别人的权力和虐待别人，我可真是没法活……然而……然而须知高谈阔论说明不了任何问题，因此，也就无须高谈阔论了。

但是，我终于克制住了自己，并且抬起头来；反正迟早总得抬起头来啊……于是，我至今仍旧确信，正因为我羞于抬头看她，因此当时我的心才陡地冒出并燃起另一种感情……

一种掌控和占有的感情。我的两眼燃起了熊熊欲火，我紧紧地抓住她的双手。此时此刻，我是多么憎恨她，又是多么迷恋她啊！一种感情增强了另一种感情。这几乎就像是一种报复！……她的脸上最初流露出一种困惑莫解甚至是惊恐万状的神情，不过一闪即逝。她心花怒放、热情似火地拥抱着我。

/ 十 /

一刻钟后，我极其心烦意乱地在房间里来回奔跑，不时走近隔板，透过缝隙张望丽莎。她坐在地板上，脑袋垂靠在床沿，看来在哭。但她并未离开，这可激怒了我。这一次，她已经知道了一切。我彻底侮辱了她，然而……真是没什么可说的了。她已经明白，我的激情爆发就是一种报复，对她的一种新的侮辱，而且，在我刚才那种几乎没有对象的憎恨中，现在又增加了一种对她个人的、饱含嫉妒的憎恨……但是，我还不能肯定，她是否已经一清二楚地理解了所有这一切；不过她已经完全明白了，我是一个卑鄙的小人，而且最主要的是，我无法爱她。

我知道，人家会对我说，这是无法想象的——变成一个像我这样凶狠、愚蠢的人，这是无法想象的；也许人家还会补上一句，不爱她或者至少不珍惜这份真情，这是无法想象的。为什么就无法想象呢？首先，我已经无法爱了，因为，我再说一遍，对我来说，爱就意味着虐待和精神上主宰一切。我一辈子都无法想象还会有另一种爱情，以至于发展到今天，我有时竟会认为，所谓爱情嘛，就是被爱对象自愿奉献对其实施虐待的权利。我即便在地下室里自己的那些幻想中，也总是把爱情想象成一种斗争，它总是从仇恨开始，以精神的征服结束，而此后怎样处理被征服的对象，那我就难以想象了。再说，这又有什么无法想象的呢，我已经在道德上堕落到如此地步，已经如此远离"活生生的生活"，以致不久前我还以为她到这里来是为了听"怜悯的话"，而对她大加指责、肆意羞辱；而我自己竟一点都没想到，她到这里来根本不是为了听怜悯的话，而是为了爱我，因为对一个女人来说，爱情也就是一切，包括一切复活，一切摆脱任何灭亡的获救，一切再生，除此以外，不可能再有其他表现形式。不过，当我在房间里跑来跑去并从隔板的缝隙里张望的时候，我已经并不怎么憎恨她了。我只是因为她待在这里而不堪忍受，十分难受。我希望她尽快消失。我渴望"安宁"，希望独自一人留在地下室里。由于对"活生生的生活"很不习惯，我竟被压迫得连呼吸都感到困难。

可是，又过了好几分钟，她还是没有站起来，仿佛陷入了昏迷状态一般。我寡廉鲜耻地轻轻敲了敲隔板，以提醒她……她猛然打了个哆嗦，一扭身从地上跳起来，飞跑过去寻找自己的头巾、帽子、皮大衣，似乎急于躲开我，逃到什么地方去……两分钟以后，她慢慢地从隔板后面走出来，沉痛地看了我一眼。我恶狠狠地笑了一下，不过极为勉强，只是出于礼貌，接着便躲开了她的目光。

"再见。"她说着，向门口走去。

我突然跑到她身边，抓住她的一只手，掰开它，塞进了……然后又把她的手捏紧。接着我立即转过身子，飞快跳进另一个角落，为的是至少可以不看见……

我本来打算立即撒个谎——这样写道：我这样做纯属无意，是一时惊慌失措、迷迷糊糊才干出了这件糊涂事来。但我不愿说谎，因此我直言不讳地说我掰开了她的手，并且在其中塞进了……是出于愤恨。当我在房间里跑来跑去，而她还坐在隔板后面的时候，我就想到要这么做了。但是，现在可以肯定的是：我做出了这件残酷的事，虽然是有意的，但并非出自内心，而是出于我那颗愚不可及的脑袋。这件残酷的事是如此矫揉造作、如此异想天开、如此刻意编造、如此照搬书本，以致我自己连一分钟都无法忍受——起初跳进角落，是为了避免看见，而后来则羞愧难当、万念俱灰地飞跑着去追赶丽莎。我打开通向过道的门，并凝神细听。

"丽莎! 丽莎! "我对着楼梯喊道，但是不敢高喊，声音很低……

没有回答，我觉得，我似乎听到了她走下最后几级楼梯的脚步声。

"丽莎! "我提高声音，大喊了一声。

没有回答。可就在这时，我听见楼下那扇关得紧紧的、通向大街的玻璃门沉沉地吱呀一声打开了，接着又砰的一声紧紧地关上了。响声顺着楼梯传了上来。

她走了。我沉思着回到房间。我心里感到极其难受。

我站在桌子边，紧靠她坐过的那把椅子，魂不守舍地望着前面。过了大约一分钟，突然我全身都颤抖起来：就在我的正前方，就在桌子上，我看见了……总而言之，我看见了一张揉皱了的蓝色五卢布钞票，正是一分钟前我塞进她手里的那张钞票。这就是那张钞票，不可能是另一张，这屋里也没有其他的钞票。看来，她是在我跳进另一角落的时候，一把把钞票扔到桌子上的。

这又怎么啦？我早就料到，她会这么做的。我早就料到了吗？不。我是一个自私到极点的利己主义者，实际上我根本不尊重别人，因此我完全无法想象她会这样做。这使我无法忍受。刹那间，我像疯子一样飞跑去穿衣服，把仓促间随手抓到的东西披在身上，箭一般飞奔着去追她。当我跑到大街上时，她才走了不到两百步。

万籁俱寂，大雪漫天，朵朵雪花几乎垂直地坠落地面，给人行道和大街铺上一层厚厚的白垫子。一个行人也没有，一点声音也听不到。街灯冷冷清清、徒劳无益地闪烁着。我飞奔了两百来步，在十字路口停住了脚步。"她到哪里去了？我又为什么要追她呢？"

"为什么？跪在她面前，痛加忏悔，放声大哭，吻她的脚，哀求她原谅！我就希望这么做；我心如刀割，痛不欲生，我永远、永远也不会麻木不仁地回忆起这一时刻。然而——为什么呢？"我心里想着，"难道就因为我今天吻了她的脚，明天也许便不会憎恨她了？难道我能给她幸福？难道我今天不是又一次——第一百次认清了自己价值几何？只怕我会把她活活折磨死！"

我站在雪地里，凝视着昏蒙蒙的夜色，想着这一切。

"那不是更好，那不是更好吗？"在回到家里以后，我又开始幻想，试图用幻想消除内心火辣辣的剧痛，"那不是更好吗，如果让她现在带着屈辱永远离去？屈辱，这可是一种净化剂；这是一种最辛辣、最痛苦的意识！明天我就可能玷污她的灵魂，使她心力交瘁。而屈辱从今而后将永远不会从她心里消失，而且无论将来等待她的是多么肮脏的污泥——屈辱将会提升她的精神、净化她的灵魂……用憎恨……嘿……也许，还有宽恕……不过，这一切真会使她感到轻松些吗？"

然而，实际上，我此刻已经给自己提出了一个无聊的问题：哪一个更好些——是廉价的幸福，还是崇高的苦难？请问，哪一个更好些？

那天晚上，我坐在家里，心灵的痛苦把我折磨得几乎只剩一口气，我就是这样胡思乱想的。我还从未经受过如此多的痛苦和悔恨；然而，当我跑出屋外的时候，对我自己竟会半路而归难道曾有过哪怕一丝的怀疑吗? 此后我再也没见到过丽莎, 也没有听到过关于她的任何消息。我还需补充的是, 在很长一段时间里, 我对屈辱和憎恨大有益处的说法一直志得意满, 尽管我自己当时几乎由于愁肠百结而病倒。

即便到了今天, 虽然已经过去了许多年, 只要一想起这一切, 我总觉得难受至极。有许多事情我现在回想起来都觉得难受, 但是……是否应在这里结束这部《手记》呢? 我觉得, 我动手写这部《手记》, 是犯了一个错误。至少, 在写这部小说的时候, 我一直感到羞愧难当, 因此, 这已经并非文学, 而是一种感化性的惩罚。须知, 比方说, 创作一篇冗长的小说, 叙述我偏居一隅, 因道德堕落、环境恶劣、脱离活生生的生活, 在地下室里追慕虚荣、满怀怨恨, 因而虚度一生——真的, 那将是兴味索然的。小说里一定得有英雄, 而在这里却故意集结了非英雄的一切特征, 而最主要的是, 所有这一切都将会催生极不愉快的印象, 因为我们大家都或多或少地脱离生活, 每个人都有自己的缺陷。我们脱离生活甚至达到如此程度, 以致有时候竟对真正的"活生生的生活"产生了某种厌恶, 因此当别人向我们提到它时, 我们就会无法忍受。须知, 我们竟然发展到几乎把真正的"活生生的生活"当作劳动, 几乎当作了职业, 而且我们大家都暗暗同意, 还是照书本行事更好一些。可我们有时为什么要胡折腾, 为什么要瞎胡闹，为什么要乱请求呢？我们自己也不知道为什么。如果我们瞎胡闹的要求得到贯彻执行，那我们就将会更糟。唔，你们就试试看吧，唔，比方说，给我们更多的独立自主，放开我们中间任何一个人的双手，拓展我们的活动空间，减少对我们的管束，于是，我们……我敢保证：我们就会立即请求重返管束的状态之中。我知道，你们也许会因此对我怒气冲冲，跺着脚向我大喊大叫："您说的只是您个人的事情，和您在地下室里的不幸，您可不能说'我们大家'。"对不起，先生们，须知我并非借用这个大家来为自己辩护。至于说到我本人，那么须知我只不过是在我的生活中把事情推到极端而已，而你们却连我的一半都不敢达到，并且你们还把自己的怯懦当作明智，聊以自慰，自欺欺人。因此，我也许比你们活得更"活生生"一些。请你们更仔细地瞧瞧吧！要知道，我们甚至都不知道，那活生生的生活现在究竟在哪里，它是什么样子，叫什么名字？如果让我们单独留下，远离书本，我们就会立即陷入歧途、惊慌失措——我们将无法搞清，我们追随什么，我们依靠什么，爱什么和恨什么，尊重什么和蔑视什么。我们甚至连做人——做一个真正的、有着自己血肉的人——都会感到有一种不堪承受之重；我们将对此深感羞愧，视为奇耻大辱，并且竭力成为某种主观臆造的一般性的人。我们都是死胎，而且我们早已不是由那些生龙活虎的父亲所生，我们对此越来越兴高采烈。我们对此兴致勃勃。无需多久，我们就会设法从观念里诞生。然而，够了；我不想再写《地下室手记》了……

＊　＊　＊

不过，这位奇谈怪论者的《手记》到此并未结束。他把持不住，又继续往下写。然而，我们却认为可以到此打住了。

（全书完）

译后记

身份焦虑与身份认同
——关于《地下室手记》

费奥多尔·米哈伊洛维奇·陀思妥耶夫斯基（1821—1881）的著名小说《地下室手记》（1864）包含了相当丰富而现代的思想内涵，在俄罗斯文学史上具有独创的意义。迄今为止，中外学者已从各个方面对其进行了多角度的颇为全面的研究。如根据陀氏 1875 年在为《少年》准备的序言中的论述："我引为骄傲的是，我第一次描写出占俄罗斯多数的真正的人，并且第一次揭示其丑陋和悲剧性方面。悲剧因素就在于丑陋的意识之中。""只有我一个人写出了地下室的悲剧因素，这个悲剧因素就在于受苦难，自我惩罚，意识到更好的事物，而又没有可能达到它，而重要的是这些不幸的人们明确相信，大家也都如此，因此无须改好！有什么能够支持变好的人们？奖赏，信仰？奖赏——没人给予，信仰——没人可信仰！由此再往前一步，就是极端的堕落，犯罪（杀人）。"[1] 学者

---

[1] 《陀思妥耶夫斯基全集》（30 卷本），第 16 卷，第 329 页，转引自彭克巽：《陀思妥耶夫斯基小说艺术研究》，北京大学出版社 2006 年版，第 111—112 页。

们进行了更进一步的阐发。彭克巽指出："《地下室手记》的主人公具有在俄罗斯文学上的独创性意义，同时在作品中又独特地展开了对唯意志论、唯意愿论的精神现象的批判性研究，并同纯粹理性主义展开论争。从这个意义上说，《地下室手记》成了陀氏最著名的'五大小说'的序篇，受到陀思妥耶夫斯基研究者和现代批评界的重视。"[1] 巴赫金认为，"地下室人"是陀思妥耶夫斯基塑造的第一个思想者的形象，他是一个"以进行意识活动为主的人物，其全部生活内容集中于一种纯粹的功能——认识自己和认识世界"[2]。弗兰克则宣称："作为揭示我们时代的感受性的隐蔽深渊的关键性文本，在现代文学中只有少数作品比陀思妥耶夫斯基的《地下室手记》更广泛地被阅读，或那么经常地被引用。'地下室人'这个名称已经成为当代文化词汇的一部分，而这个性格现在已达到最伟大的典型文学创造之一的高度，正如哈姆莱特、堂吉诃德、唐璜、浮士德那样。"[3] 美国学者考夫曼认为这部小说是存在主义的先声，他指出："我们所听到的是个性之歌

1　彭克巽：《陀思妥耶夫斯基小说艺术研究》，北京大学出版社 2006 年版，第112 页。

2　[俄] 巴赫金：《陀思妥耶夫斯基诗学问题》，白春仁、顾亚铃译，生活·读书·新知三联书店 1988 年版，第 86 页。

3　彭克巽：《陀思妥耶夫斯基小说艺术研究》，北京大学出版社 2006 年版，第129 页。

中未被听到的一首：不是古典的，不是《圣经》式的，也绝不是浪漫的。不！这个个性没有经过修饰，没有经过理想化，也没有神圣化。它是可悲的和叛逆的，但无论它给人何等不幸，却仍然是最高的善。""《地下室手记》是一个人的内在生活，是他的情志、焦虑和决心——这些都被带进了核心，一直到所有的景象被揭露无遗为止。这本在 1864 年出版的书，是世界文学中最富革命性和原创性的著作之一。"[1] 而在笔者看来，如果从身份焦虑（上述中考夫曼已指出其"焦虑"的特点，但没有明确是身份焦虑）和身份认同角度，则能从另一新的角度揭示这部小说所蕴含的现代意义或当代意义。

这里，首先必须说明几个与本文密切相关的关键概念。

一是"身份"。鲍尔德温等人的《文化研究导论》认为："身份用来描述存在于现代个体中的自我意识。现代自我被理解为是自主的和自我反思的，德国哲学家 G.W.F. 黑格尔把个人主义、批判和自主行动的权力，看做是现代主体性的三个主要特征。身份的这种自我反省的一面意味着在现代，身份被理解为是一个规划。它不是固定的。"[2] 阿兰·德波顿在其《身份的焦虑》中更是明确指出，身份"指个人在社会中的位

1　[美]考夫曼编著：《存在主义》，陈鼓应等译，商务印书馆 1995 年版，第 3 页。

2　[英]阿雷恩·鲍尔德温等：《文化研究导论》（修订版），陶东风等译，高等教育出版社 2004 年版，第 231 页。

置；源出于拉丁语 statum，即地位。狭义上指个人在团体中法定或职业的地位（如已婚、中尉等）。而广义上——即本书所采用的的意义——指个人在他人眼中的价值和重要性。"[1] 综上所述，可知"身份"是指个人在社会中的位置或地位，描述的是存在于现代个体中的自我意识，但更体现为个人在他人眼中的价值和重要性。

二是"身份焦虑"。这"是一种担忧。担忧我们处在无法与社会设定的成功典范保持一致的危险中，从而被夺去尊严和尊重，这种担忧的破坏力足以摧毁我们生活的松紧度；以及担忧我们当下所处的社会等级过于平庸，或者会堕至更低的等级"[2]。简而言之，身份焦虑就是指人的内心所潜藏的对自己身份的一种担忧或焦虑。"焦虑是因为某种价值受到威胁时所引发的不安，而这个价值则被个人视为是他存在的根本。威胁可能是针对肉体的生命（死亡的威胁）或心理的存在（失去自由、无意义感）而来，也可能是针对个人认定的其他存在价值（爱国主义、对他人的爱，以及"成功"等）而来。""焦虑的特性是面对危险时的不确定感与无助感。"[3]

1　［英］阿兰·德波顿：《身份的焦虑》，陈广兴、南治国译，上海译文出版社2007年版，第5页。

2　同上，第6页。

3　［美］罗洛·梅：《焦虑的意义》，朱侃如译，广西师范大学出版社2010年版，第172页。

三是"身份认同"。"身份认同是确立差异化并经由差异化来建构自我同一性的一个过程。"[1]也就是说，身份认同是在社会结构与社会情境中通过自我与他人的互动而形成的，指个人与特定社会文化的认同，是个人对自我身份的确认，是一个人对自己归属哪个群体的认知，或者说个人对所属群体的角色及其特征的认可程度和接纳态度，主要指某一文化主体在强势与弱势文化之间进行的集体身份选择，由此产生了强烈的思想震荡和巨大的精神磨难，其显著特征可以概括为一种焦虑与希冀、痛苦与欣悦并存的主体体验。简而言之，身份认同就是追求与他人相似（有哪些共同之处）或与他人相异（有哪些区别），其中个体认同或自我认同是指个体对自己独特性的意识，其形成以对"他者"的看法为前提，他者可以是他人，也可以是一个整体的社会制度、思潮、风俗等。

由上可知，身份焦虑和身份认同都和社会与他人有关，是在与他人的交际和互动中产生的。因为"人们几乎总是带着某种期望进入人际互动"[2]，所以，"在影响身份认同的诸多因素中，最重要的或者不可或缺的，就是一个人的集体归属

---

1 赵静蓉著：《文化记忆与身份认同》，生活·读书·新知三联书店 2015 年版，第32—33 页。

2 ［美］乔纳森 H·特纳：《人类情感——社会学的理论》，孙俊才、文军译，东方出版社 2009 年版，第 73 页。

感或社会认同感，以及由此所建立的这个个体与他人之间的交际关系"[1]。

在西欧的影响和俄国国内的巨大压力下，19世纪后期亚历山大二世上台后，这位具有"高度的责任感"而且锐意改革的沙皇[2]，采取了相当开明的政策，进行了多方面的大改革，对俄罗斯的社会发展作出了历史性的贡献，成为俄国历史上与彼得大帝、叶卡捷琳娜二世齐名的沙皇。他在1861年下诏废除了农奴制，为俄罗斯在19世纪后半期的中兴奠定了基础。他还主持了多项政治改革，并开始实行地方自治和司法改革等，给予地方政府一定的自主权，制订了把俄罗斯君主制改造为君主立宪制的改革计划，慢慢向民主进程迈进。梁赞诺夫斯基等认为："'大改革'朝着改变俄国的方向大大地前进了一步。可以肯定地说，虽然俄国依然是沙皇专政，但是它在很多方面都有了变化。在这些变化中非常重要的一个方面就是政府的改革也带动了经济的发展和社会的变迁……俄国资本主义的发展，农民阶层的演变，贵族的衰落，中产阶级的上升，特别是专业团体和无产阶级的壮大，公共领域

1　赵静蓉：《文化记忆与身份认同》，生活·读书·新知三联书店2015年版，第182—183页。

2　美国学者莫斯认为亚历山大二世具有高度的责任感，这种"责任感和时代要求的结合，促使他充满活力地在其任期的头十年中完成了改革的绝大多数工作"。详见［美］莫斯：《俄国史》，张冰译，海南出版社2008年版，第24页。

的发展——所有这一切都受到亚历山大二世立法的影响。俄国确实在向现代国家的路途中开始迈开了大步。"[1]这具体表现为：工业加速发展，城镇化速度加快，教育越来越普及，进入城市和接受教育的人越来越多，以报纸、杂志等为代表的公共媒体逐渐增多，社会出现了急剧变化甚至常常变化不定，从而导致传统社会那种稳定的生活和人的稳定身份的消失。与此同时，由于大改革带来的大开放，资本主义观念强力传入并迅速扩散，西方各种思潮也趁机纷纷涌入，而俄国传统文化面对这一巨大的震荡和冲击，完全无能为力，甚至土崩瓦解。因此，19世纪下半叶的俄国社会既空前活跃又空前混乱，人们的精神既空前开放、广收博纳，也因此往往无所适从而空前迷茫，整个社会信仰失缺、道德失范，各种思想自行其是，人们不知所从。再加上不断变化的社会导致人的身份不断变动，使人越来越不能摆脱他人的影响，但又无法信任他人，反倒在对他人的种种疏离和戒备中滋生敌对和仇恨，渴望重建规范、秩序、和谐，但在种种不确定的因素中却孕育了更多的暴力、危险和不稳定。在此日新月异、变化无定地走向现代国家的社会文化背景下，人越来越丧失自我，越来越难以确定自己的身份，身份焦虑与身份认同的

1　[美]梁赞诺夫斯基、斯坦伯格：《俄罗斯史》，杨烨、卿文辉主译，上海人民出版社2007年版，第347—348页。

种种问题随之出现,《地下室手记》于是应运而生。

《地下室手记》中的无名主人公是个四十岁的退休八品文官,他智力发达,善于思考,常常分析自己的内心世界。在四十岁时,他得到了一小笔遗产,就退休了,从此在地下室整整生活了二十年。他一生坎坷,被人蔑视,屡遭欺凌,充满痛苦、屈辱和怨恨,他为自己的软弱而苦恼,但他又深深意识到:"人类所有的问题,似乎的确就在于,人无时无刻不在向自己证明,他是人,而非管风琴上的销钉!"因此,他力图确立自己的个性,却又找不到正确的途径,甚至连自己的身份都无法确定,因而整部小说贯穿了他对身份的焦虑以及身份无法认同的苦恼。

这位无名主人公从儿童时代起即惨遭不幸:父母双亡,寄居远房亲戚家里,不仅常被狠狠责骂,而且亲戚一等时机成熟,为了甩脱包袱,便把他送进了学校:"把我硬塞进这所学校的,是我的几个远房亲戚,我曾依靠他们抚养,但从我入学起他们就完全淡出我的印象了——当时,他们将一个孤苦伶仃、已被他们责骂得几成废物,但已经能够思考、对一切都能默默无言、别具只眼地观察的孤儿硬塞进了这所学校。"从小父母双亡,寄居远亲家里,这使他很早就产生了身份的焦虑——在亲戚家里,过着既像儿子辈但又不是儿子的生活;亲戚对他的疏远尤其是常常责骂,更使他无法找到自己的身份，只能沉溺于自己的内心和孤独之中。在学校里，他又遭到势利的大多数同学的冷酷无情的嘲笑与冷漠："同学们用满怀恶意、残酷无情的嘲笑迎接我，因为我与他们中间的任何一个人都不相似。但我无法忍受他们的嘲笑；我无法轻易地与他们和睦相处，无法像他们那样彼此合群。我从一开始就憎恨他们，我离群索居，顾影自怜，保持着一种战战兢兢、饱受屈辱、异乎寻常的高傲。他们的粗蛮无礼令我怒发冲冠。他们厚颜无耻地嘲笑我的面孔，嘲笑我矮墩墩的身材；而他们自己的长相却是多么蠢笨啊！""家庭生活"本已使他身份尴尬，颇为孤独，同学们满怀恶意、冷酷无情的嘲笑与冷漠，使他无法认同学校集体，进一步加深了他的身份焦虑，更使他离群索居，以战战兢兢、异乎寻常的外表高傲来保护自己，并且选择了扮演更突出的或更有价值的身份以自我展示，即向外界展现自我的优越性或独特性，将自我投射到某种理想的身份之中——发奋学习，成为优秀学生，从而高人一等，改变自己的地位："为了摆脱他们的嘲笑，我有意开始尽我所能更好地学习，并终于在同学中名列前茅。这使他们大为震撼。这也使他们大家都开始慢慢明白，我早已在阅读他们视为畏途的书籍，并且懂得了他们闻所未闻的知识（这些知识并未列入我们的专业课程）。他们惊异莫名而又颇为嘲笑地看待这件事，但精神上却心悦诚服，何况连教师们也对我青眼相加。"

无名主人公通过认同更高的身份在某种程度上的确改变了自己在人们心目中的地位，然而，人际交往光靠成就是不够的，何况，他所面对的是一个如此平庸、俗气的环境："对正义但却惨遭侮辱和迫害的一切，他们都铁石心肠、恬不知耻地一概加以嘲笑。他们把官衔尊崇为智慧；才十六岁就把各种肥缺美差挂在嘴边了。当然，这大多是因为他们蒙昧无知，因为他们童年和少年时代环绕身边、耳濡目染的坏榜样。他们放荡不羁，达到了极其反常的程度。"因此，除非他完全放弃自己，消融于环境之中，正如赵静蓉所说："个人无法找到在集体生活中的归属感，从而导致认同无法完成。由此带来的，是'我'与他人之间关系的破裂。自我主动自觉地与他者疏离，主动抛弃作为自我认同之对照物的他者，因此造成信任感的丧失和认同的焦虑。更为甚者，是自我在服从集体审查的前提下，把'我'认同成'他者'。"[1]否则，很难从根本上解决问题："嘲笑停止了，但敌意依旧存在，形成了一种冷冷冰冰、紧张兮兮的关系。"

作为一个正从少年走向青年的学生，这种冷冷冰冰、紧张兮兮的人际关系，时间长了必然无法忍受："最终，我自己

1　赵静蓉：《文化记忆与身份认同》，生活·读书·新知三联书店2015年版，第213页。

无法忍受了：随着年龄的增长，与人交往、获得友谊的需求也越来越强烈了。我开始试着接近某些人，可这种接近总是显得很不自然，因此也就自然而然地无疾而终了。有那么一次，我也曾有过一个朋友。但我在精神上已成为暴君；我试图无所不包地控制他的心灵；我试图给他灌输蔑视其周围的人的思想；我要求他同周围的人高傲地彻底一刀两断。我这狂热的友谊使他不寒而栗……"这种矫枉过正的狂热的人际交往，不仅给别人带来痛苦，而且难以持久，自己也会因失去友谊而饱受创伤，最终陷入深深的身份焦虑之中，无法认同任何社会身份，变得越来越孤家寡人："我毕业离校后的第一件事，就是放弃分派给我的那个专业职务，以便斩断一切瓜葛，诅咒过去，并让它灰飞烟灭……"进而他慢慢地几乎同所有同学都断绝了往来："我的中学同学好像有很多就在彼得堡，但我从不与他们往来，而且即便在大街上劈面相逢也互相不打招呼。就连我转到别的部门去工作，兴许就是为了不跟他们搅在一起，并且与我那整个可恨的童年从此一刀两断。……总之，我一出学校获得自由，就马上与同学们分道扬镳。只有两三个同学，我们劈面相逢时还打打招呼。"

可见，走上社会前，无名主人公已有特别强烈的身份焦虑和突出的身份认同困境。在此基础上，小说通过三件事进一步深入描写了他在身份焦虑和身份认同方面的挣扎及失败。

第一件事是与一位军官的较量，主要表现身份焦虑。

由于"家庭"和学校生活的影响，参加工作后，"我不和任何人交往，甚至避免跟任何人说话，越来越深地龟缩进自己的角落里。在办公室上班时，我甚至极力不看任何人，我也十分清楚地发现，我的同事们不仅把我当作怪人，而且——我一直觉得就是这样——似乎还用某种厌恶的目光在看我"。无名主人公更是无法摆脱身份焦虑，很难有身份认同，反而更加孤独，甚至因为无法认同他者而自惭形秽，深感不如他人："我憎恨我们办公室的所有同事，从上到下，概莫能外，而且鄙视所有人，然而与此同时，我又似乎害怕他们。常常，我甚至会忽然认为他们远远高于自己。那时不知怎么会出现这种情形：我时而鄙视他们，时而又认为他们远远高于自己。"他深为苦恼的是："没有一个人与我相似，我也不与任何人相像。"人是社会性的动物，他需要通过交往，也就是说通过他人来确认自己，因此，无名主人公这种孤独状况难以持久："我时而不愿跟任何人说话，可时而又不仅要跟他们畅所欲言，而且恨不得和他们相互视为知己……有一次，我甚至跟他们成了莫逆之交，开始对他们登门拜访，和他们一起打牌，一起喝酒，谈论职务升迁……"不过，这种友谊肯定没法长久，他很快就和同事们吵翻了，甚至见了他们连招呼都不打，仿佛从此一刀两断了。这种尝试使得他更加小心谨慎，从此惯于"孤身独处"，并试图用读书这外来的感觉来抑制住内心中不断累积的愤懑，但是青年毕竟想活动活动，于是便突然陷入阴郁的、地下的、卑劣的堕落之中。

这种堕落更使他加倍难受，以致有一天夜间看见一群先生正在台球桌边挥舞着台球杆打架，其中的一位被人从窗户里推了出来。他竟羡慕起这位被推出窗外的先生来，于是走进这家小饭馆的台球室，因为挡了一位军官的路，这位身材高大的军官抓住他的双肩，把矮小的他挪到了另一个地方。这引发了他内心深处所潜藏的对自己身份的一种担忧或焦虑，他觉得这种对他的视若无睹就是对他身份的极大蔑视，是比丢出窗外更甚的奇耻大辱，于是挖空心思，千方百计试图报复，以此来确证自己有着与他平等的身份，以消除自己的身份焦虑。他想抗议或决斗，但又害怕："一旦我提出抗议，并且温文尔雅地开始与他们理论时，在场的所有人，从那个恬不知耻的台球记分员一直到那个满身臭气熏人、脸上长满粉刺、衣领满是油腻、在这里阿谀献媚的最低级小官吏，都会大惑不解，并且嘲笑我。"但他积恨难消，一连好几年都在寻思如何报复，并打听到了军官的姓名和住处，起初打算写文学作品揭露、嘲弄这位军官，又怕惹事，最后决定在军官经常去的涅瓦大街上撞他一下，作为报复，更以此确认自己有着和他平等的身份。为了使自己在上流社会人士经常路过的涅瓦大街上有"优雅得体的仪表",显得身份与这位军官平等,他不惜借钱来改造和置办服饰。然而,万事俱备后,每次与军官相遇,他却不敢撞上去,反倒赶快闪身给他让路,从而深感痛苦:"即便在大街上,我也总是无法跟他处于平等的地位。"在万般痛苦中,他决定放弃报复,却又神使鬼差地突然与军官扎扎实实地撞了一下:"当然,我吃亏更多些,他远比我强壮,但问题不在这里。问题在于,我达到了目的,维护了尊严,一步也没有退让,在大庭广众之中使自己与他处于完全平等的社会地位。"尽管自己被撞得更重,但他深感维护了自己的尊严,在大众眼里为自己赢得了应有的平等的身份。

第二件事是参加同学送别宴会,主要表现身份认同。

作为社会人,尤其是作为一个青年,无名主人公不可能完全与世隔绝,他还得融入社会,而融入社会,对他来说,就意味着去科长安东·安东内奇·谢托奇金家做客。然而,那又是多么的无聊乏味甚至有意委屈自己:"他们高谈阔论着消费税、枢密院里的交易、薪水、官场升迁、上司大人、获取上司欢心的诀窍,等等,等等。我不厌其烦地傻瓜般陪坐在这些人身边,连续四五个小时恭听他们谈天说地,自己却不敢也不会插上一言半语。我在那里坐得全身麻木,好几次都浑身淌汗,几乎麻痹瘫痪了;但这也大有好处,而且益处多多。回到家里，我会有好一阵子把拥抱整个人类的愿望束之高阁。"尽管如此，这也是通向社会的唯一通道，足以让他不至于因为过于孤独而窒息。因为正如阿兰·德波顿所说："我们的'自我'或自我认知可以用一只漏气的气球来作比方——任何时候，我们都需要他人的爱（对于气球而言，便是源源不断的氢气）来填充自己的内心，而经不起哪怕是针尖麦芒大的刺伤。我们的情绪变得难以理喻，一会儿因他人的褒扬而开心，一会儿为他人的漠视而伤怀。"[1]因此，他还偶尔去看看一位同学西蒙诺夫。有一次他去拜访时，正好另有两位同学特鲁多柳博夫、费尔菲奇金在那里座谈，他们没有一个人对他的光临表现出任何注意，而全都把他"看成一只最平淡无奇的苍蝇"。这份来自本来身份平等的同学而今不平等的蔑视使他十分难受，因此后来当他碰巧知道他们第二天晚上要去巴黎饭店为一位即将到外省去当军官的同学兹维尔科夫开一个送别宴会时，尽管一直对俗不可耐、自命不凡的兹维尔科夫十分憎恨，两人也多年不相往来，却突然要求参加宴会，因为"如此突如其来、出其不意地端出自己，真是做得漂亮至极，他们大家都会猛地败下阵去，对我另眼相看，顿生敬意"，也就是说这只是为了自己能有一个与

1　[英]阿兰·德波顿：《身份的焦虑》，陈广兴、南治国译，上海译文出版社2007年版，第8页。

他们平起平坐、不被人蔑视的身份。几位同学劝阻无效，只好勉强同意，却故意把原定的下午五点推迟到六点，却不通知他，希望他受到冷遇而自己退出。但他尽管绝望地想象："这个'下流坯'兹维尔科夫将会怎样盛气凌人、冷若冰霜地迎接我，笨蛋特鲁多柳博夫将会怎样带着冥顽不灵、无法抵抗的蔑视望着我，小虫豸费尔菲奇金将会怎样寡廉鲜耻、丧心病狂地嘲笑我，以讨好兹维尔科夫；而西蒙诺夫将会怎样对这一切洞若观火，并且鄙视我卑劣的爱慕虚荣、畏首畏尾"，然而"我们总是渴望他人对我们怀有积极的评价，总是小心翼翼地渴望任何来自他人爱戴的表示"[1]，因此他迫不及待地试图向这些"废物"证明："我压根儿就不是我自己想象中的那种胆小鬼。不仅如此，在畏葸退缩的冷热病最剧烈发作时，我还总幻想着自己能占上风，战胜他们，吸引他们，并迫使他们喜爱我"，一句话——为了证明自己的社会身份和地位，他彻底豁出去了。

他白等一个小时后，大家终于见面了，兹维尔科夫那高人一等的姿态，其他同学满怀轻蔑的态度，使得他更急于证明自己在身份上是与他们平等的，而且甚至更加高尚，因而言语激烈，导致所有同学都不理睬他，远离餐桌到一边的沙

---

1 ［英］阿兰·德波顿:《身份的焦虑》，陈广兴、南治国译，上海译文出版社2007年版，第116页。

发上宴饮。而他，一方面深感："这群浑球竟以为，让我坐在自己的这桌酒席上是赏脸给我，殊不知这是我，是我在赏脸给他们，而不是他们赏脸给我！'瘦骨嶙峋！衣服！'哦，该死的裤子！兹维尔科夫刚才就瞄住了膝盖上的黄色污渍……还待在这里干什么！此时此刻，立马起身，离开餐桌，拿起帽子，一声不吭，一走了之……"另一方面他又不愿离开，并"摆出一副极其独立不羁的姿态，急不可耐地等待着他们抢先跟我谈话"，甚至耐心十足地正对着他们，在包间里从桌子走到壁炉，又从壁炉转回桌子，从八点一直走到他们离去的十一点，以致"在这三个钟头里，我三次汗透衣裳，又三次把它焐干"！兹维尔科夫等人全然不理睬他，大家一起去了妓院。他觉得受了莫大的侮辱，并下决心试图挽回自己的声誉，于是低三下四地乞求着向西蒙诺夫借了六卢布，以便再次参加他们的妓院聚会，即便不成，也要证明自己的勇敢和与他们的平等："要么是他们大家都跪下，抱住我的腿，乞求我的友谊，要么……要么是我扇兹维尔科夫一记耳光！"然而，当他赶到妓院时，他们早已转移。第二天，他清醒过来，想到的第一件事，就是急如星火地无论如何要抢时间挽救自己在兹维尔科夫和西蒙诺夫心目中的声誉。为此，他首先找科长借了钱，以便还给西蒙诺夫，同时以那种"有点轻描淡写"，甚至几乎漫不经心（不过，十分得体）的口吻给西蒙诺夫他们写了一封信，措辞巧妙，气质高贵，语言简洁，直奔主题，把一切都巧妙地归咎于自己根本不会喝酒，沾酒即醉，因而醉后失态，似乎侮辱了兹维尔科夫，本拟亲自登门向大家道歉，可是头疼欲裂，而最主要的是——愧对大家，因而请西蒙诺夫代自己向其他所有人转达歉意。

按照身份认同理论，认同的过程就是追求与他人相似或者与他人相区别的过程，是有关个人在情感和价值意义上视自己为某个群体成员以及隶属某个群体的认知，更是个体对自己与有相同背景的他人的相似性的感知。阿兰·德波顿更具体地谈道："与古人或与其他地域的人相比而显现出的富裕，并不能长时间地使我们开心。只有同那些一起长大的同伴、一起工作的同事、熟识的朋友，或是在公共场合与那些有认同感的新知相比较时，如果我们拥有和他们一样多或更多的东西的时候，我们才认为自己是幸运的。"[1]反之，如果我们拥有的远不如别人，我们就会认为自己是不幸的，从而心生嫉妒乃至忌恨。小说中无名主人公正是如此，表面上看不起俗不可耐的中学同学（与自己有相同的中学学习背景），但上述一切行动均证明，他心底里还是十分认同这一群体的，尽管从中学时代起便对兹维尔科夫有一种本能的嫉妒乃至忌

1　［英］阿兰·德波顿：《身份的焦虑》，陈广兴、南治国译，上海译文出版社2007年版，中文版序言，第3页。

恨 [他的自白泄露了这一秘密："从高年级起，我就开始对他恨之入骨。在低年级时，他还仅仅是个人见人爱的漂亮而机灵的小男孩。然而，还在低年级时我就恨他，而且恰恰因为他是一个漂亮而机灵的小男孩。……所有人都在向兹维尔科夫阿谀奉迎……而且不知何故我们当时总把兹维尔科夫看作八面玲珑、风雅时尚的行家里手。后面这一点尤其使我怒火中烧。我憎恨他那尖锐刺耳、自命不凡的声音，我憎恨他那自鸣得意的俏皮话，其实他说的俏皮话非常愚蠢，尽管他口无遮拦、舌灿莲花；我憎恨他那张俊生生而又有点傻乎乎的脸蛋（不过我倒乐意用我这张聪明的脸蛋和他交换）和四十年代那种无所顾忌的军官作风"]，他还是急于试图获得他们尤其是兹维尔科夫的赞赏乃至友谊，至少要能和他们或他平起平坐，有一种同学的平等，最好能赢得他们或他对自己的尊重。由上可见，身份认同对这位孤独的无名主人公来说，是多么的重要和迫切！

第三件事是与妓女丽莎的交往，主要表现保持身份的艰难。

无名主人公赶到妓院，虽然没有见到西蒙诺夫等同学，却遇到了刚刚堕落风尘的妓女丽莎。这时他突然发现自己在身份上居然高人一等，而且有了说教的对象，于是便用充满激情和诗意的说教唤醒了浑浑噩噩的丽莎，让丽莎重新萌生了追求新生活的向往和勇气，并且满怀爱意地去找他。而他却已习惯于高她一等的英雄身份，害怕她看到自己穷困潦倒的生活真相，因而有失身份，使他失去她的尊敬："昨天我在她面前充足了……英雄……可现在，唉！这真是糟糕透了，我竟这样落魄潦倒。屋子里简直一无长物。……我那漆布沙发，连里面垫子的棕团都露出来了！而我那件睡衣，也没法完全遮住它！简直是破烂布片……因此这一切她都会看到……"然而，丽莎来了，不仅看到了这一切，还正巧碰上他跟仆人阿波罗为了工钱的事情发生争吵！现实的变化实在太快，他无法适应这种前几天还是英雄才过几天便变成穷困潦倒的可怜虫的身份剧变，这使得他"站在她面前，灰心丧气，仿佛蒙受了奇耻大辱，羞愧到了极点"，并极其残忍地用比刀子还锋利的语言报复了丽莎，甚至对她大喊大叫："难道你直到现在还不明白，我永远也不会原谅你了，因为你正好碰见我穿着这件睡衣，像只疯狗一样扑向阿波罗。一个让人复活者，一个过去的英雄，竟然像一条乱蓬蓬的癞皮狗一样扑向自己的仆人，而那个仆人却在嘲笑他。而且我还像个受了侮辱的娘儿们一样在你面前情不自禁地泪流满面，为此我永远也不会原谅你！还有，为了现在我向你承认的这一切，我也同样永远不会原谅你！是的，——你，只有你一个人必须为所有这一切负责，因为刚巧被你碰见了，因为我是个混蛋，因为我是世界上所有虫豸中最卑劣、最可笑、最渺小、最愚蠢、最嫉妒的虫豸，其他的虫豸一点也不比我好，但鬼知道他们为什么从来就不感到羞愧；而我一辈子却要为每一个虫卵怄气——这正是我的一大特点！"这种有失身份的感觉是如此强烈，即便丽莎充满爱意的举动也无法挽回！这时因为他长久与人们隔绝，完全搞不清自己的身份和自己应做何事，陷入身份认同的困境，不仅无法保持自己的身份，而且已经不懂得人间的情爱，只能与真爱失之交臂，也只能为了自己的"安宁"，独自一人最终躲进地下室里！

"人与世界关系的陌生化、人与他者关系的损毁，最终带来的是人与自我之间的危机。"[1] 正因为上述所有情况的出现，使无名主人公的自我认同出现了危机：一方面，正如巴赫金所指出的："谈到《地下室手记》的主人公，我们简直无话可说，他自己什么都清楚。例如，他懂得他对自己所处时代和自己社会圈子的典型意义，他给自己（内心状态）做出心理甚或精神病理的冷静判断，他了解自己意识的性格特征、他的滑稽可笑和他的悲剧性，他知道对他个人可能做出的种种道德品格上的评语，如此等等"[2]，他似乎对自己的一

1　赵静蓉：《文化记忆与身份认同》，生活·读书·新知三联书店2015年版，第213页。
2　[俄]巴赫金：《陀思妥耶夫斯基诗学问题》，白春仁、顾亚玲译，《巴赫金全集》第5卷，河北教育出版社2009年版，第66—67页。

切有着颇为全面的了解；另一方面，他虽极力试图确定自我，但又不知道自己究竟是什么，时而说"我是个凶狠的人"，时而又说"我永远也不会变成凶狠的人"，并且认识到："我不仅不会成为凶狠的人，甚至也不会成为任何一种人：既成不了凶狠之徒，也成不了善良之辈，既成不了流氓无赖，也成不了正人君子；既成不了英雄，也成不了虫豸。"这主要是因为他极力想获得社会的认同，有一个明确的身份，因而太在意社会（表现为他人）对自己的看法："'地下室人'想的最多的是，别人怎么看他，他们可能怎么看他；他竭力想赶在每一他人意识之前，赶在别人对他的每一个想法和观点之前。每当他自白时讲到重要的地方，他无一例外都要竭力去揣度别人会怎么说他、评价他，猜测别人评语的意思和口气，极其细心地估计他人这话会怎么说出来，于是他的话里就不断插进一些想象中的他人对语。"[1]胡志明进而指出，即便躲在地下室里，他的自我意识的层层演进，也一直是以外界的主流文化和意识形态为逻辑前提的，并且是在对时尚的科学理性的质疑与批判中得到展示的。在他的通篇"自白"中，他说出的每一个词语都是为了满足自己对他人（读者）反应的渴望，他时而卑躬屈膝，时而又厉声尖叫，恶言恶语，每

1　［俄］巴赫金：《陀思妥耶夫斯基诗学问题》，白春仁、顾亚玲译，《巴赫金全集》第5卷，河北教育出版社2009年版，第67页。

部分结束时的语气，都在公开讨要别人的反应。[1]这样，他就成了人们口中所说的那种典型的矛盾体，永远无法摆脱身份焦虑更无法找到身份认同："您渴望生活，并且自己用混乱不堪的逻辑来解决生活问题。您举止多么轻狂，多么令人厌恶，但与此同时，您又多么提心吊胆！您胡说八道，并以此沾沾自喜；您言语粗鲁，而自己又无休无止地为此担惊受怕，请求原谅。您要人家相信，您天不怕地不怕，与此同时，您又对我们的意见阿谀逢迎。您要我们相信，您恨得咬牙切齿，与此同时，您却大说俏皮话，逗我们发笑。您知道您的俏皮话并不俏皮，但您显然认为它富有文采而自我陶醉。您也许真的受过苦难，然而您丝毫也不尊重自己的苦难。您也掌握了真理，可您却缺乏高风亮节；您出于渺不足道的虚荣心，拿您的真理到处炫耀、出乖露丑、大做交易……您确实想说出点什么来，然而，却由于内心恐惧而藏起了至关紧要的话，因为您没有和盘托出的毅然决然，却只有厚颜无耻的胆小如鼠。您夸耀意识，但您又总是摇摆不定，因为您虽然也在困心衡虑，但您的心灵却已被淫逸放荡所腐蚀，而没有纯洁的心灵——也就不会有完全的、正确的意识。"

正因为如此，一方面无名主人公深感自己才华出众，远

---

1 《"地下人"与他的后代——〈地洞〉与〈地下室手记〉的比较研究》，《山东大学学报》（哲学社会科学版）2008 年第 2 期。

远高于身边的俗众，总想展示自己独特的个性，因而极其自尊，甚至不惜以一种病态的自虐来维护自己那可怜的自尊；另一方面他又宁愿受人欺凌，并从中获得某种刻骨铭心的绝望的享受，因为自己已变成毫无特性的软膏："我这人极其自尊……不过……如果有人扇了我一记耳光，那我也许甚至会为此感到高兴。我是实话实说：大概我能从中获得某种享受，当然是一种绝望的享受，然而就在绝望之中却往往有刻骨铭心的享受，特别是当你十分强烈地意识到你已经山穷水尽、毫无出路的时候。可就在这时挨了一记耳光——于是你立刻痛苦地意识到，你已被碾压成了某种软膏。"因此，正如他自己所说的："一个甚至试图在自己的屈辱感中寻找享受的人，难道会、难道会多多少少尊重自己吗？"而且，也难道能确立自我，找到自己的身份吗？答案是明确的：不能。于是，深深陷入身份焦虑和身份认同的窘境的无名主人公无法习惯"活生生的生活"，以致竟被压迫得连呼吸都感到困难，只得远离社会、远离人们，而"地下室万岁"，他只好躲进地下室里。心甘情愿地避居于"地下"，表明无名主人公最终不再有身份的焦虑并躲开了身份认同的困境，而承认自己的存在远远弱小于社会上的正常人，甚至较普通人都要低微卑贱。尽管如此，他还是试图通过各种对话（与自己、与想象中的他人），来确立自己的身份，但正如曾繁亭指出的那样，他的整个极具对话色彩的内心独白，让一个由混乱怪诞的城市生活所制造的孤独怪物的内心世界，就这样颠三倒四、矛盾反复地在读者面前抽搐着、痉挛着。"我"似乎永远搞不明白自己是善是恶，有什么目的和希望，爱的是什么，恨的又是什么。他犹犹豫豫却又亢奋饶舌所说出来的一切，几乎每句话都是对前句话的反驳与嘲笑。而每句话中所包含着的突兀的、无法解释的狂喜和极端的、同样亦无法解释的绝望，则使人听来既感到恼怒又感到兴奋，既感到刺激又感到困惑："我"到底是一个怎样的人？[1]这样，作家就超前地表现了现代人才有的那种身份焦虑与身份认同的困境，使作品独具现代性，甚至当代性。

1　曾繁亭：《〈地下室手记〉主旨发微》，《齐鲁学刊》2003 年第 4 期。

陀思妥耶夫斯基

(1821-1881)

俄国作家，与托尔斯泰、屠格涅夫并称为俄罗斯文学"三巨头"

他洞悉人类灵魂的奥秘，对人类心理活动有深刻的描绘

作品被翻译成 170 多种语言

其文学风格对 20 世纪的世界文坛产生了深远的影响

启发了卡夫卡、加缪、福克纳等作家

代表作有《穷人》《白夜》《地下室手记》《罪与罚》

《白痴》《卡拉马佐夫兄弟》等

曾思艺

1962 年生于湖南

天津师范大学文学院教授、博士生导师

翻译家，中国外国文学教学研究会理事

主要译作有《罪与罚》《俄罗斯抒情诗选》《尼基塔的童年》

《自然·爱情·人生·艺术——费特抒情诗选》等

地下室手记

作者 _ [俄] 陀思妥耶夫斯基　　译者 _ 曾思艺

产品经理 _ 曹曼　　装帧设计 _ broussaille 私制

技术编辑 _ 陈杰　　执行印制 _ 陈金　　策划人 _ 于桐

营销团队 _ 阮班欢 李佳

果麦

www.guomai.cc

图书在版编目（CIP）数据

地下室手记 /（俄罗斯）陀思妥耶夫斯基著 ；曾思
艺译 . -- 杭州：浙江文艺出版社，2020.5（2022.11 重印）
ISBN 978-7-5339-6041-4

Ⅰ．①地… Ⅱ．①陀… ②曾… Ⅲ．①长篇小说－俄
罗斯－近代 Ⅳ．① I512.44

中国版本图书馆 CIP 数据核字（2020）第 035228 号

地下室手记

〔俄〕 陀思妥耶夫斯基 著　　曾思艺 译

责任编辑　张小苹
文字编辑　王　挺
封面设计　broussaille 私制

出版发行　浙江文艺出版社
地　　址　杭州市体育场路 347 号　　邮编 310006
经　　销　浙江省新华书店集团有限公司
　　　　　果麦文化传媒股份有限公司
印　　刷　天津丰富彩艺印刷有限公司
开　　本　787mm×1092mm　1/32
字　　数　110 千字
印　　张　6.75
印　　数　114,001-124,000
版　　次　2020 年 5 月第 1 版
印　　次　2022 年 11 月第 18 次印刷
书　　号　ISBN 978-7-5339-6041-4
定　　价　39.80 元